# 世界の児童文学をめぐる旅

池田正孝 著

エクスナレッジ

# まえがき

私が英国を中心とした児童文学作品の舞台を訪ねて写真を撮り始めたのは、今から四〇年も前のことです。そうした写真を編集して解説を加え、全国の公立図書館や児童文庫などの集いに招かれてスライド上映会という形でお見せするという活動を続けてきました。現在までにテーマ別にして四六篇の写真をまとめ、この二〇年間に開催したスライド上映会は千回近くにのぼります。そのいずれもが三、四十人規模の小さな集まりですが、参加された方々からは、物語の舞台やモデルが確かな映像となって表現されているところから「作品の世界がくっきりとイメージできた」「もう一度作品を読み直してみたい」といった感想がたくさん寄せられています。

実際、映像のもつ力は素晴らしいもので、この数年、東京子ども図書館と協力して欧州各国の児童文学名作の舞台めぐりをテーマにカレンダーを制作していますが、これも皆さんからご好評をいただいております。

以上のような長い前史を経て、今回エクスナレッジ社から本書『世界の児童文学をめぐる旅』が上梓されることになりました。その題名のとおり、この本では各国の作品の舞台を訪れていますが、とりわけ主力となるのが英国の作品です。そこでは物語の世界が絵空事ではなく、はっきりと眼前に彷彿するようにとらえられており、その背後にはあらかじめ実在する舞台やモデルが設定されています。その題材として取りあげられた舞台たるや、二千年前のローマ遺跡であったり（サトクリフの諸作品）、スコットランドのメアリー女王が幽閉されていたマナーハウスであったり（『時の旅人』）、つるバラの咲き誇る庭園であったり（『秘密の花園』）、その場所や時代はまちまちですが、共通することは今もそれが現存していて、行こうと思えばそこを訪ねることができる点です。

少年時代、図書館もない、読みたい本もない田舎に育って、本に飢えていた私が、長じては世界中の子どもたちの愛読する名作の舞台をくまなく訪ね歩くことができました。私はなんと幸せなのだろうと思います。この喜びをひとり占めにしてはいけない。児童文学の新しい楽しみ方を、この本を通じて読者の皆さんと共に分かちあいたい。そんなふうに考えています。そればかりではなく、大人の読者を通じて、さらにその喜びを広く子どもたちに伝えることができれば、これ以上の幸せはありません。子どもにとって、児童文学は宝物探しなのですから。

池田正孝

児童文学の舞台 MAP

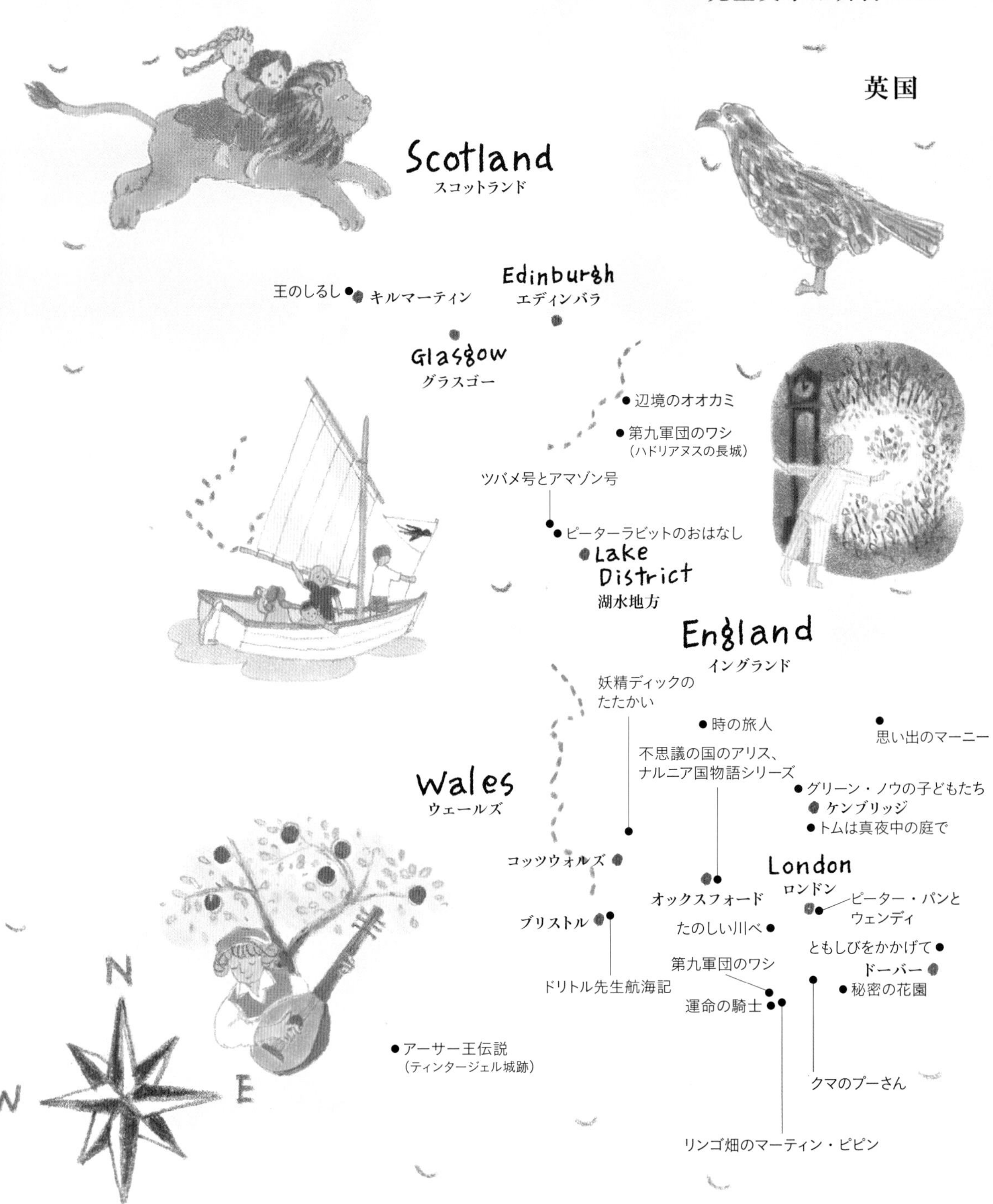

英国
Scotland
スコットランド
Edinburgh
エディンバラ
王のしるし
キルマーティン
Glasgow
グラスゴー
辺境のオオカミ
第九軍団のワシ
（ハドリアヌスの長城）
ツバメ号とアマゾン号
ピーターラビットのおはなし
Lake District
湖水地方
England
イングランド
妖精ディックの
たたかい
時の旅人
思い出のマーニー
不思議の国のアリス、
ナルニア国物語シリーズ
Wales
ウェールズ
グリーン・ノウの子どもたち
ケンブリッジ
トムは真夜中の庭で
コッツウォルズ
London
ロンドン
オックスフォード
ピーター・パンと
ウェンディ
ブリストル
たのしい川べ
ともしびをかかげて
第九軍団のワシ
ドーバー
ドリトル先生航海記
秘密の花園
運命の騎士
アーサー王伝説
（ティンタージェル城跡）
クマのプーさん
リンゴ畑のマーティン・ピピン
N
E
S
N

## 北欧

Norway
ノルウェー
Sweden
スウェーデン
Finland
フィンランド
Stockholm
ストックホルム
リンドグレーンの世界
ゴットランド島
ニルスのふしぎな旅
Denmark
デンマーク
Copenhagen
コペンハーゲン
ニルスのふしぎな旅
（グリミンゲ城）
Odense
オーデンセ
アンデルセン童話の地へ


## フランス・スイス


Frankfurt
フランクフルト
Paris
パリ
Germany
ドイツ
Maienfeld
マイエンフェルト
ハイジ
Switzerland
スイス
France
フランス
Lyon
リヨン
Genève
ジュネーヴ
Toulouse
トゥールーズ
星の王子さま

# 目次

＊本文中の各作品からの引用（翻訳）は、特に記載がない限り書影を掲載した版からのものです。

装丁　三上祥子（Vaa）
地図・イラスト　矢島あづさ
協力　公益財団法人東京子ども図書館／吉田美知子

# 英国を舞台にした作品

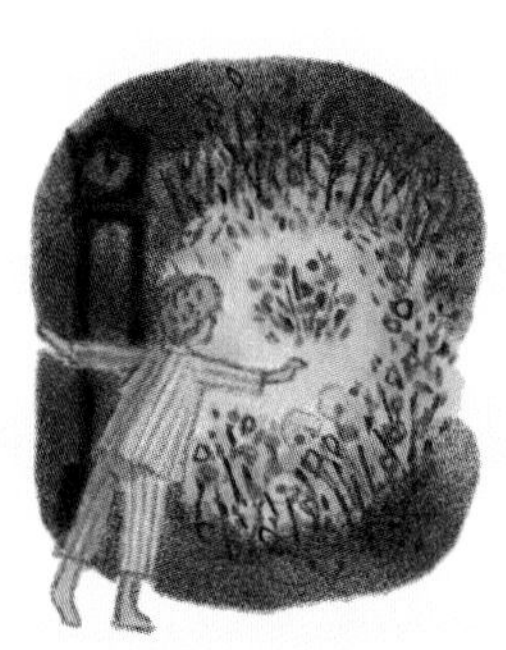

# 『ピーターラビットのおはなし』

## ビアトリクス・ポター

### 湖水地方の自然への強い愛着

ビアトリクス・ポターは、彼女の生涯のうちで、全部で二九冊の絵本を書き上げています。しかし、ポターが絵本制作に集中して取り組んだのは、一九〇二年作の『ピーターラビットのおはなし』から一九一三年作の『こぶたのピグリン・ブランドのおはなし』までの一二年間でした。そのうち前半期と後半期では、ポターの制作姿勢に明白な差違が見てとれます。

前半にあたる頃、ポター一家は湖水地方北部のケズイック町近くにあるフォーパーク邸やリングホルム邸などを借りて避暑生活をしており、そこでの暮らしぶりはお客様扱いのものであったといえるでしょう。これに対して一九〇五年以降、ポターはウィンダミア湖南西部ニア・ソーリー村のヒルトップ農場を購入し、両親と別れてひとり住まいを始めます。それまでとは違い、全て自分

上／ダーウェント湖畔のリングホルム邸。ポター一家がここで避暑に訪れた折に『りすのナトキンのおはなし』が生まれた。
下／ニア・ソーリー村のヒルトップ農場。1905年にポターはこの農場を購入し、翌年建て増ししてここに住み始める。

ポターが16歳の時、初めて湖水地方を訪れた際に滞在した城のような邸宅、レイ・カースル。

で切り盛りする生活者としての暮らしに変わるわけですが、そうした身辺上の変化が、ポターの制作活動にどのような影響を与えたのでしょうか。

ポターはかつて自分の絵本づくりの姿勢について、米国のある雑誌につぎのように寄稿しています。

「私は書くことが好きで、それに集中することは苦にならない。しかし注文されて書くことは苦手です。私が書くのは自分自身がたのしむためなのです」

おそらく彼女のこうした姿勢は、生涯変わらなかったことでしょう。しかし後半期の絵本づくりでは、そのたのしみの内容が随分と変化しているような気がします。

例えば一九〇七年作の『こねこのトムのおはなし』には、ポターが住み始めたヒルトップ農場がトウィチットさん一家の自宅として登場します。彼女はやっと落ち着いた暮らしを始めることのできたこの住まいに強い愛着を持ち、本の中に描かずにはいられなかったのでしょう。しかもこの頃にはヒルトップ農場の建て増しも終わり、ポターは庭づくりに夢中でしたから、花の咲き乱れる庭までも作中に登場させています。

## あちこちに顔を出す実在の村人たち

ポターのこうした想いは更につのり、翌年作の『あひるのジマイマのおはなし』では、ヒルトップ農場とそこでの暮らしぶりをもっと詳細に、もっと愛情

上／草花が咲き乱れるヒルトップ農場の自宅。
左／ニア・ソーリー村では百年前と同じ郵便ポストが今も使われている。ポターはこのポストにピーターが手紙を入れている絵柄のクリスマスカードを描いている。

上／フォーパーク邸は、ピーターラビットとベンジャミンの物語の舞台。左／煉瓦塀の隙間から見える菜園と温室は絵本に出てくる姿そのまま。下／フォーパーク邸の石塀。ピーターたちが乗り越え、ベンジャミン氏がその上でパイプをくゆらしたところ。

スケルギル農場は『ティギーおばさん』の中でルーシーの家のモデルに使われた。

をこめて描いております。そのことは絵本の中で、農場管理人の奥さんや二人の子どもたち、さらには愛犬ケップまでも登場させていることからも感じとれるでしょう。

しかし、日常生活を続けていくと、いいことばかりでなく、時には問題も生じます。一九〇八年作『ひげのサムエルのおはなし』は、ポターが農場内に巣くうねずみに手を焼いたことから生まれました。このように、以前の別荘暮しの日々とは違った、ポターの実生活に根ざした物語が新たに制作されることになるのです。

さらに、村に住みついたポターが絵本の中に周辺の風景や家屋、時には住民や彼らの飼育している動物までも丹念に描きこむことによって、村人たちのポターへの関心も高まり、両者の間には親近感のようなものが生まれてきます。一九〇九年『「ジンジャーとピクルズや」のおはなし』が出版された時、この本が村人の話題となり、彼らをとてもおかしがらせたそうです。「この本の中には村の人たちにすぐにそれと分かる風景がたくさん入っていて、それが村人たちにはうれしいのです」ポターは友人の手紙にこう書き送っています。

また、この本は寝たきりの老人ジョン・テーラー氏に捧げられています。彼の奥さんは村のよろずやを営んでおり、その店が物語の舞台に使われていました。テーラー氏が寝たきりだったので、ポターはお話の中に登場させられないと断ったところ、それに対して「やまねでもようがすよ」とテーラー氏が返事したことが献辞の中に書かれています。実際、この本にはジョンと呼ばれるや

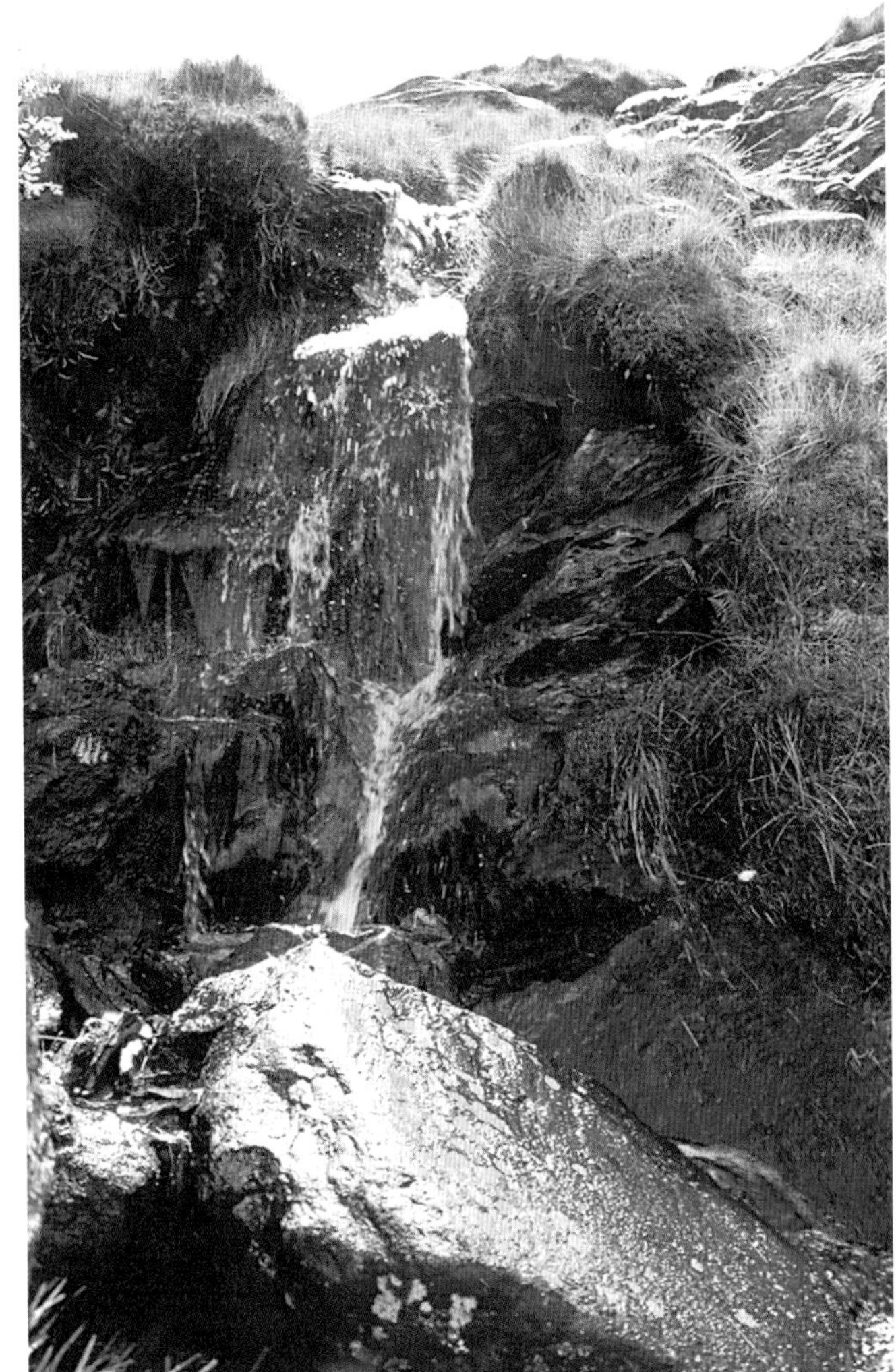

キャット・ベルズ山の岩棚から流れ落ちる滝。100年前、ポターが『ティギーおばさんのおはなし』に描いた滝は、今も変わることなくしぶきをあげて流れている。

まねが登場しています。

このような村人たちの親愛の情に包まれて、ニア・ソーリー村でのポターは別荘時代とは異なるたのしみと喜びを味わいながら絵本の制作に励んだに違いありません。

ニア・ソーリー村やそこに住む人々との縁が深まるにつれて、この土地に強

The Tale of Peter Rabbit

Helen Beatrix Potter

ピーター・ラビットの
おはなし

ビアトリクス・ポター（著）

石井桃子（訳）／福音館書店

いたずら好きのピーターは、マクレガーさんの畑の中に忍び込んで、大事な野菜を食べてしまいます。怒ったマクレガーさんはピーターを追いかけて……。

い愛情をもったポターは、この地の保存と保護について考えるようになります。年来の友人、ローンズリー牧師らが自然保護を目指して「ナショナル・トラスト」を立ち上げた時には、ポターは父と共に熱心な支持者となって湖水地方の保護に尽くします。第二次大戦中、湖水地方で最も美しいと言われるターン・ハウズ湖と周辺の土地が売りに出されると、ポターはナショナル・トラストの会長に募金活動による購入を進言します。ところが戦時中のため思うように資金が集まらないことが分かると、彼女は残り全額を匿名で提供しました。

一九四三年、ポターはそれまで長い間かけて手に入れた四三〇〇エーカーの土地と一五の農場の一切を、ナショナル・トラストに寄附するという遺言を残して亡くなります。享年七七歳でした。

上／ルーシーが失くしたハンカチを探して歩いた山道。下／ティギーおばさんのモデルであるハリネズミは、英国ではヘッジホッグと呼ばれる。

# 『ツバメ号とアマゾン号』

アーサー・ランサム

## 夏休みの船遊びから生まれた「ランサム・サーガ」

アーサー・ランサムは一八八四年、北イングランドのリーズに生まれました。父親はリーズ大学の歴史学の教授で、息子を幼い頃から湖水地方に狩りや釣りに連れて行き、少年期にはウィンダミアの寄宿学校に入学させます。こうした体験は、のちにランサムが湖水地方と生涯のつながりをもつきっかけとなりました。

一九一七年、ロシア革命が勃発すると、ランサムは新聞社の特派員として目覚ましい活躍をします。革命の最中、トロツキーの秘書だったエフゲーニアと恋仲となり結婚しますが、革命の終結と共に新聞社を辞めて英国に戻り、湖水地方で暮らしはじめます。

ウィンダミア湖に近いロウ・ラダバーンに落ち着いたランサムは、子どもたちの冒険物語『ツバメ号とアマゾン号』の執筆を開始します。この物語には明瞭なモデルが存在していました。一九二八年、シリアのアレッポで開業医を営

コニストン湖を東側から見下ろす。岸辺にはハリハウ農場とツバメ号のボートハウス、後方にカンチェンジュンガ山を望む。

コニストン湖の景観。この周辺にはヤマネコ島（ピール・アイランド）やアマゾン号のボートハウスがある。

むアルツニアンとその家族が、夏休みにコニストン湖畔に滞在します。一家と親しくしていたランサムは、子どもたちとディンギー型のヨットに乗って船遊びに興じ、その中で物語の構想が出来上がっていったのです。

ツバメ号の四人きょうだいのうち、長男ジョンに当たるのは本当は長女タークゥイなのですが、物語の構成上、男の子に変わっています。家庭的でよく気のつくスーザン、神経質だが想像力豊かなティティ、リアリストのロジャー、そしてまだ赤ちゃんのブリジットには、すべてモデルとなったアルツニアン家の子どもたちの性格がそのまま反映されています。

アーサー・ランサムが一四年かけて書きあげた「ランサム・サーガ」全一二巻のうち、湖水地方を舞台にした物語は全部で五巻です。第一巻『ツバメ号とアマゾン号』、第二巻『ツバメの谷』、第四巻『長い冬休み』、第六巻『ツバメ号の伝書鳩』、そして第一一巻『スカラブ号の夏休み』。いずれも、ランサムが作り出した架空の湖（コニストン湖とウィンダミア湖をひとつにまとめたもの。『ツバメ号とアマゾン号』の裏表紙の地図を参照）でお話が展開します。これらの物語は一つ一つ切り離された作品ではなく、五巻を読み通すことで、湖水地方を舞台とした一つの物語世界を把握できるわけなのです。

## 子どもの心をもつ大人による物語

ランサムの本を読んでいて興味深く感じるのは、説明的な文章がほとんどな

上／物語の冒頭、ロジャーがタッキング（帆船が風上にジグザグに航行する動作）しながら坂を登り、お母さんが電報をもって待つ農場入口の木戸。下／コニストン湖畔にある、ハリハウ農場のツバメ号のボートハウス。

## ツバメ号とアマゾン号

アーサー・ランサム

上／遊覧船で賑わうウィンダミア湖の中心地ボウネスの港。前方中央の「オールド・イングランド」はランサムの定宿ホテルだった。右／ボウネス近くのスチーム・ボート博物館にはアマゾン号（実名メービス号）が展示されている。

コニストン湖南端にある、アマゾン号のボートハウス。ランサムが描いた挿絵そっくりの姿で残っている。

く、当事者同士の会話によって次の行動が生み出され、物語が進行していくことです。こういうスタイルですと、お話にリズムが生まれてきます。読者である子どもがランサムの本に飛びついて楽しむのは当然のことなのかもしれません。

この子ども同士の会話の巧みさは、普通の大人とは違う、ランサム自身の子どもっぽさにその秘密が隠されているのかもしれません。ランサムを観察したマルカム・マガリッジは「ランサムは、子どもたちにはあまり関心をいだいていなかったようだ。それは子どもに向けて子どものことを書いて成功するために必要な資質かもしれない。大人はほとんどみな、自分たちとちがうから、子どもがすきだ。だが、ランサムのように子どもっぽい大人は、自分が子どもに似ているという、そのことで子どもを嫌い、子どもに退屈を感じる。だから、ふつうの大人にはわからない、子どものゲームや子どもの物事に対する姿勢が、彼にはわかるのだ。だから、彼の作品は子どもをひきつけるのだ」（『アーサー・ランサムの生涯』ヒュー・ブローガン著、神宮輝夫訳、筑摩書房）と書いています。このマガリッジの指摘は、ランサムの作品の本質を見極めるうえで、とても大切なことといえるでしょう。

## 自身の体験を元にした「火星の通信」

また、前述したように、実在の人物や場所を物語に取り入れているのもラン

上／かつてケルサル大佐が住んでいたバークブース邸。下／現在お住まいのご主人が、「火星の通信」を信号板を使って実演してくださった。

サムの作品の特質です。特にランサムが作品の挿絵を自分で書くようになってからは、その傾向が一層強くなっているように思います。例えば、『ツバメ号とアマゾン号』の扉絵に描かれた「ダリエン岬」はダーウェント湖のフライア・クラッグがそのモデルとなった場所です。ごつごつとした大きな岩の上に立つ真っ直ぐな松の木々は、挿絵と寸分違わぬ光景です。文章ではこんなふうに描写されています。「岬のはしは断崖のように湖に落ち込んでいた。子どもたちは岬の頂上から、ひろい水面が低い丘の上の間をくねってひろがっているのを見た。ティティはその場所をダリエンと名付けた」

ツバメ号とアマゾン号

アーサー・ランサム（著）
神宮輝夫（訳）／岩波少年文庫

休暇で湖畔の農場へやってきたウォーカー家の４人きょうだいは、小さな帆船ツバメ号で湖の中の無人島へ漕ぎ出す。キャンプ生活、湖の探検、海賊との対決……子どもたちだけで過ごす楽しい冒険の日々。

ハリハウ農場とツバメ号のボートハウスは、コニストン湖東端にあるバンク・グランド農場とその家のボートハウスがモデルとなっていますし、ブラケット家の屋敷ベックフットとアマゾン号のボートハウスは、前者がウィンダミア湖南端にあるタウンヘッドと呼ぶ建物が、後者はコニストン湖南端にある本の挿絵そっくりのボートハウスが元になっています。

ランサムが物語に取り入れたのは、実際の場所や建物だけではありません。ウィンダミア湖近くの丘陵にあるロウ・ラダバーン邸に住んでいたランサムと、丘の麓のバークブース邸に住むケルサル大佐は親しい釣り仲間でしたが、お互いに電話がないところから、釣りの打ち合わせに三角形や四角形の板を信号として使ってやりとりしていました。この体験はやがて第四巻『長い冬休み』の中でウォーカー家の子どもたちとＤきょうだいの間で「火星の通信」（マース・シグナル）として生かされます。こんなところにも、ランサムの「子どもっぽい大人」の一面が覗いているような気がします。

ちなみに、このバークブース邸は今も残っています。私が訪問した時、そこに現在住んでいるご主人――大学の医学部の名誉教授とおっしゃっていました――が出ていらしたので、ここはアーサー・ランサムの「火星の通信」の家ではありませんか、と尋ねましたら、「ちょっと待って」とおっしゃって、嬉々としてその信号を持ってきて見せてくれました。そして「火星の通信」を実演してくれたのです。ランサムを通して異国の年寄り同士が意気投合できて、とても愉快な経験でした。

# 『リンゴ畑のマーティン・ピピン』

エリナー・ファージョン

## 石井桃子さんの足跡を追って

英国の南端に広がるサセックス地方は、英仏海峡に面し、気候の温暖な地域です。この地には高い山がなく、僅かに東西に長く伸びるサウスダウンズと呼ばれるゆるやかな丘陵が目立つ程度です。この丘陵の屋根に沿ってアップ・アンド・ダウンを繰り返す全長一二〇キロに及ぶロングフットパスは、英国人お気に入りの遊歩道として知られています。

今から五〇年も前、児童文学作家・翻訳家の石井桃子さんはエリナー・ファージョンの『リンゴ畑のマーティン・ピピン』を訳された後、作品の舞台であるサセックス地方を訪れました。そして帰国後、その旅行記「一九七二年初夏イギリスの旅」を岩波の「図書」に掲載します（一九七三年一～一二月、のちに『児童文学の旅』〔岩波書店〕に再録）。その直後に英国を初めて訪問した私は、石井さんの旅行記に導かれるように、雄大な景色のサセックスを何度と

上／「王さまの納屋」に出てくるチャンクトンベリ・リング（土塁の輪）は鉄器時代の砦跡。以前はこのような円形のブナの森が見られたが、1990年代に嵐でなぎ倒され、今は見る影もない（写真は1979年に撮影）。下／ホブズホースにはハリエニシダが群生し、夏になると鮮やかな黄色の花を咲かせる。

ワシントン村の農場「王さまの納屋」の標札。
第一章の題名にそのまま使われている。

なく旅しました。そして、その数年後には英国に留学し、余暇を利用しては『リンゴ畑……』の舞台を丹念に歩き回り、サウスダウンズウェイの大半を歩き通しました。

ファージョン作品の舞台探しに私が深くのめり込むきっかけとなったのは、石井さんの「訳者あとがき」のつぎの一節でした。「私を驚かしたのは、ことによると、空からつくりだされたのではあるまいかとも考えていた地名もつぎつぎに出てくることでした。「王さまの納屋」に出てくるチャンクトンベリの丘の下には、「ワシントンという小さな村落」がありました。（中略）また「オープン・ウィンキンズ」の話に出てくる「ハルカナムコウ（High and Over）は、現実にそこへ行ってみることはできませんでしたが、ホブの領地とされている小さな町、アルフリストンの雑貨屋で買ったその地方の地図には、きちんと載っていました」

## 物語そのままの地名や場所があちこちに

石井さんの鋭い観察眼に触発されて、私もいくつもの新しい発見をすることができました。なかでも『リンゴ畑……』の全てのお話がサウスダウンズとその周辺の地名や場所の名前を土台に創られていることに気づいたときには、唖然とする思いでした。

例えば「王さまの納屋」は、題名そのものがワシントン村の農場の名前だっ

上／「オープン・ウィンキンズ」の舞台、アルフリストン村のスター・イン。イングランドで最も古い宿の一つともいわれ、かつては密輸入業者の巣窟だった。下／五月には白い花が咲き誇るところからメイフラワーと呼ばれるホーソーン（日本名サンザシ）。

たのです。そればかりか、その一切のモチーフが同じ集落に実在する農場の名を組み合わせてできたものでした。物語に登場する「ナグリ部落」「ザワザワ石」「ヤブカゲ小屋」「タカガリ・グズ衆」といった名称が、集落内に散在する農場の看板に全て表示されていたのです。また、チャンクトンベリのブナの森の手前にある露池（デュウポンド）は、ウイリアム王が頭を水に浸すと、向こうに裸の女性（ヴァイオラ）の姿を認める場所です。

ファージョンの姪アナベルの書いた『エリナー・ファージョン伝―夜は明けそめた』（アナベル・ファージョン著、吉田新一・阿部珠理訳、筑摩書房）には「サセックス地方の田舎は、そこに咲く花も、森も、丘も、谷も、エリナーには馴染みぶかいものになっていて、そこで気ままな空想が遊び、ホーキング・ソーバーズだとか、オープン・ウィンキンズ、ピリグリーン・ロッジズなどという遊びっ気たっぷりの地名が生まれた」とありますが、ホーキング・ソ

「エルシー・ピドック……」の舞台、ケーバーン山の頂上から南面を見渡す景色。彼方に連なる丘陵はサウスダウンズ。

Martin Pippin in the Apple Orchard

Eleanor Farjeon

上／「夢の水車場」の舞台サイドルシャムのミルハウス。右／入口の浮輪には「The Old Mill House」と書かれている。下／大潮の到来で、集落の前面にある湿地帯はすべて海水に沈んでいた。

スティープ村の丘の中腹に建つ、ファージョンたちによって建立された詩人エドワード・トーマスの記念碑。

ーバーズ（タカガリ・グズ衆）は前述の通り、ワシントン村の農場名ですし、オープン・ウィンキンズは西サセックスに実在する森林名です。ピリグリーン・ロッジズは同地方の道路際に建つ二つの石造りの小屋名でした。

また「夢の水車場」の舞台サイドルシャムに行きますと、沼地に面して、かつて水車場を経営したと思われる建物が存在しており、その玄関口には「オールド・ミルハウス」と書かれた浮輪が飾ってあります。ちょうどその折、大潮が到来していて、沼地も草原も一面海水で覆われ、まさに海のようになっていました。そこでたまたま一緒になった婦人が「あなたはラッキーですね。この大潮は年に二、三回きりみられないのですよ」と話してくれたのですが、そのとき私はハッとしました。ファージョンもこの大潮に出くわして、それがヘレンと老水夫ピーターの再開の場面になったのではないか、そう思ったのです。

その後再びここを訪ねた時、同じ建物から老人が現れて、昔、ここには潮の干満の力を動力源とした水車場があったこと、その水車場は一九一〇年の洪水で流されてしまったことを語ってくれたのでした。

## 「夢の水車場」に込められた亡き友への想い

さまざまな出会いと発見の旅を通じて、私はファージョンのサウスダウンズへの思い入れや愛着を強く感じるようになりました。そしてファージョンがかくもこの地方の地名や場所の名にこだわる背景には、彼女をいざなってサウス

## リンゴ畑のマーティン・ピピン

エリナー・ファージョン

上／英仏海峡に面する白亜のクリフ（崖）、セブンシスターズ。その頂きをサウスダウンズ・ウエイが貫いている。右／『ヒナギク野のマーティン・ピピン』に出てくる「ウィルミントンの背高男（ロングマン）」は、石灰質の丘陵地帯に刻まれた地上絵。

Martin Pippin in the Apple Orchard
Eleanor Farjeon

リンゴ畑の
マーティン・ピピン

エリナー・ファージョン（著）
石井桃子（訳）／岩波少年文庫

陽気な歌い手のマーティン・ピピンが、六人の乙女たちに美しく幻想的な恋物語を語りはじめる。サセックスの美しい自然を背景にした、繊細で幻想的な作品。

ダウンズを歩き、自然に親しむ喜びを教えてくれた亡き友、エドワード・トーマスへの愛が存在することに気づいたのです。なかんずく、「夢の水車場」のヒロイン、ヘレンはファージョンその人を現しており、この作品はトーマスへの秘めた想いを告げた物語だったといえるでしょう。『リンゴ畑のマーティン・ピピン』は、詩人トーマスに捧げる「レクイエム（鎮魂曲）」であったといってもよいのかもしれません。

『ヒナギク野のマーティン・ピピン』は、題名、内容共に『リンゴ畑のマーティン・ピピン』の続編とも言うべきものですが、『リンゴ畑……』から一六年後に刊行されたことから、前者のような熱気とオーラは感じられません。物語は舞台をサセックス全体に広げており、ウィルミントンの背高男とか、セブンシスターズなどの名所を背景にして、ファージョン独特のファンタジーが展開します。

そのうちの一話「エルシー・ピドック、夢で縄とびをする」は、ファージョンも特にお気に入りの物語で、英米の図書館では子どもに語り聞かせるお話として今も変わらぬ人気を呼んでいます。この物語はルイス近在のケーバーン山を舞台にしていますが、実はファージョンがホウトン村のエンディコットという農家に滞在した際に生まれたものです。家の庭先にはいつも近所の子どもたちが遊びに来ていて、その中の縄とびの上手なエルシー・パテックちゃんが主人公のモデルとなりました。ファージョンが住んでいたという元の牛舎はなくなりましたが、母屋のエンディコットは今もそっくり残っています。

# 『運命の騎士』

ローズマリ・サトクリフ

## サセックス地方を舞台にした激動の歴史物語

犬飼いのランダルを主人公とした『運命の騎士』は、西サセックスにあるアランデル城とその周辺を舞台として物語が展開します。アランデル城は、かつてウイリアム征服王の家臣モントゴメリーによって築城されましたが、一六世紀以来ノーフォーク公の所有となり、大改築を経て現在のような優美な城に生まれ変わりました。しかし、西側にあるシェルキープ（本丸）やバービカン（城門）は一二世紀当時のままの姿で残っています。

さて、ランダルは両親と早く死に別れ、天涯孤独の身として育ちます。それ故に彼は常に人生と対決することを避けて生きてきました。この哀れなランダルに運命の転機が訪れます。アランデル城の新城主一行が到着の折、城門の上から見物していたランダルは、食べかけのいちじくを落として、危うく城主を落馬させかけてしまうのです。この罰として苛酷な鞭打ちの刑に処せられるところ、ド・ベレームの楽人エルルアンの助力で免れ、それが縁となり騎士エベ

アランデル城に残る12世紀の城門（バービカン）。犬飼いのランダルが城門の上から食べかけのいちじくを落とし、運命を一変させた場所。

キープの塔の上から見おろすと、城主の一行が通った城門と堀、その上にかかる木橋が見渡せる。

ラード・ダグイヨンに預けられます。その領土であるディーン荘園にはエベラードの孫でランダルと同じ年頃のベービスがいて、二人はある事件をきっかけに友情を深めることになります。

この時期、三代目の国王ヘンリーと彼の長兄でノルマンの領主ロバート公の間で英国王位継承をめぐって争いが生じ、その余波はディーン荘園にも魔女狩り事件の形で及びます。騎士エベラードの死によって、ベービスは騎士に叙せられることになりますが、彼は自分の土地の人々に囲まれて騎士になることを望み、ディーン荘園で騎士の儀式を受けるのでした。ヘンリーの軍勢はロバート討伐のため海を越えてノルマンディに出航しますが、戦いは決着せず、翌年の夏に持ち越します。ノルマンディ進攻の前夜、イバラが丘でベービスはランダルに語ります。「（前略）もしこの夏おれたちがノルマンディで勝利を得れば――ノルマンとサクソンのイギリス人がいっしょに肩をならべて戦って勝てば――ほかの何よりもそれがひとつの民族をつくりだすのに強い働きをすると思うがね」

戦いはヘンリー軍の勝利となりますが、ベービスは戦死しました。領主ド・ブローズはベービスに代わってランダルに一年間、ディーン荘園の領有を託します。ランダルは捕虜となったド・ベレームの楽人、自分の命の恩人であるエルルアンの身代金の支払いを申し出ると、ド・ブローズは改めてエルルアンをとるか、ディーン荘園をとるか、二つのうちの一つを選ぶことを要求します。この感動的な結末の場面は、ぜひ皆さんご自身で読んで頂きたいところです。

上／かつてのディーン荘園にはノルマンの征服直後に建てられた教会が保存されており、中には四大福音書の壁画も残る。
下／物語の時代にイバラが丘と名付けられたランシングの丘には、メイフラワーとも呼ばれる白いサンザシの花が咲き誇っていた。

上／巨大な築山の上に立つアランデル城の本丸。12世紀、ウィリアム征服王の家臣モンゴメリーによって建てられた。右／ブランバー城の麓にある聖ニコラス教会。11世紀、城の居住者のチャペルとして建てられたもの。

## ディーン荘園を探して

さて今から二〇年も前のこと、私がディーン荘園探索を思い立った時点では、この舞台がどこに存在するのか、かいもく見当がつきませんでした。僅かに西サセックスにあるド・ブローズの城跡、ブランバー城とイバラが丘（現在はランシング・リングと呼ばれている）が地図で確認できるだけです。まずはイバラが丘を訪ねてみることにしました。そこは名の通り、いばらの一種ホーソーンの白い花（五月に咲くところからメイフラワーとも呼ばれる）が一面に咲き乱れていました。丘の頂上にはまばらな木立があり、古代、五月一日のメーデーの前夜、ベルティン祭の火祭があったのはここだったかもしれません。ホーソーンの藪を除いては樹木ひとつ見当たらない広大なダウンズ（丘陵）をアップ・アンド・ダウンしながら進むと、ついにディーン荘園と思われる集落を発見しました。そこは今は羊の牧畜農場に変わっており、生まれて間もない仔羊の鳴き声が地に満ちていました。その傍らには、かつては教会だったと思われる石造りの建物も見られます。

それからしばらく経ってからのことです。サトクリフの愛読者たちを案内する旅の一環として、この現在クームズと呼ばれている土地の牧畜農場を訪問すべく、先方に訪問許可の連絡をとりました。驚いたことには、農場の奥さん、ジニーさんから届いた返信には「私の家はサトクリフの『運命の騎士』に登場するディーン荘園のモデルとなった場所です。私は少女時代この本を読みその

# 運命の騎士

ローズマリ・サトクリフ

騎士ランダルが忠勤を励んだ領主、ド・ブローズの居城ブランバー城の廃墟。わずかに残る門楼の一部がかつての栄光を物語る。

Knight's Fee

Rosemary Sutcliff

運命の騎士

ローズマリ・サトクリフ(著)

猪熊葉子(訳)/岩波少年文庫

11世紀ノルマン朝の英国。孤児ランダルはふとしたことから騎士ダグイヨンの領地に預けられる。先住民族とサクソン人、ノルマン人が入り乱れる激動の時代を背景に、ランダルの数奇な運命とダグイヨンの孫ベービスとの友情を描く。

事実を知りました」とありました。私たちがこのサセックスの旅を、どんなに驚きと喜びをもって迎えたかはご想像にお任せします。

私がかつてここで見た教会と覚しき小さな建物は、一〇八〇年代ノルマンの征服直後に建てられた由緒ある教会で、その当時描かれた四大福音書のシンボル壁画が今も残る歴史的な遺跡でした。厚い石壁にはいくつもの刀傷が付いています。「これは当時の騎士が残した刀傷だ、と父がよく語ってくれたものです」というジニーさんの説明を聞いたそのとき、私にはベービスが騎士に取り立てられる前の晩、ここで「徹夜の祈り」を捧げる姿が見えたような気がしました。

その後、ジニーさんは、私たち一行をトラクターで牽引された車に乗せ、牧場となっている丘陵を案内してくれました。物語にも描かれている丘の上には、今は自然保護地域に指定された木立と露池もあり、アラン川の彼方の丘陵地には、領主ド・ブローズのブランバー城跡も望むことができます。

数奇な運命を辿ったランダルの物語は、サトクリフが創作したフィクションではなく、中世の英国に起こった歴史的事実であったに違いない。遥かなる緑の丘陵を思い浮かべながら、私は今も固くそう信じております。

# 『クマのプーさん』

A・A・ミルン

## 本の大成功の影に隠された苦悩

世界じゅうの子どもたちに愛されている『クマのプーさん』ですが、その名声が作者アラン・アレグザンダー・ミルンとその息子に暗い影を落としていたことは、知らない方も多いかもしれません。

ケンブリッジ大学卒業後はユーモア雑誌『パンチ』の副編集長として活躍し、その後劇作家として身を立てようとしていたミルンですが、彼の評判を高めたのは戯曲ではなく、一九二〇年八月に生まれた息子クリストファー・ロビンをテーマに書いた子どもの本でした。年代順にあげると、詩集『クリストファー・ロビンのうた』（一九二四年）、『クマのプーさん』（一九二六年）、詩集『クマのプーさんとぼく』（一九二七年）、『プー横丁にたった家』（一九二八年）の四冊です。

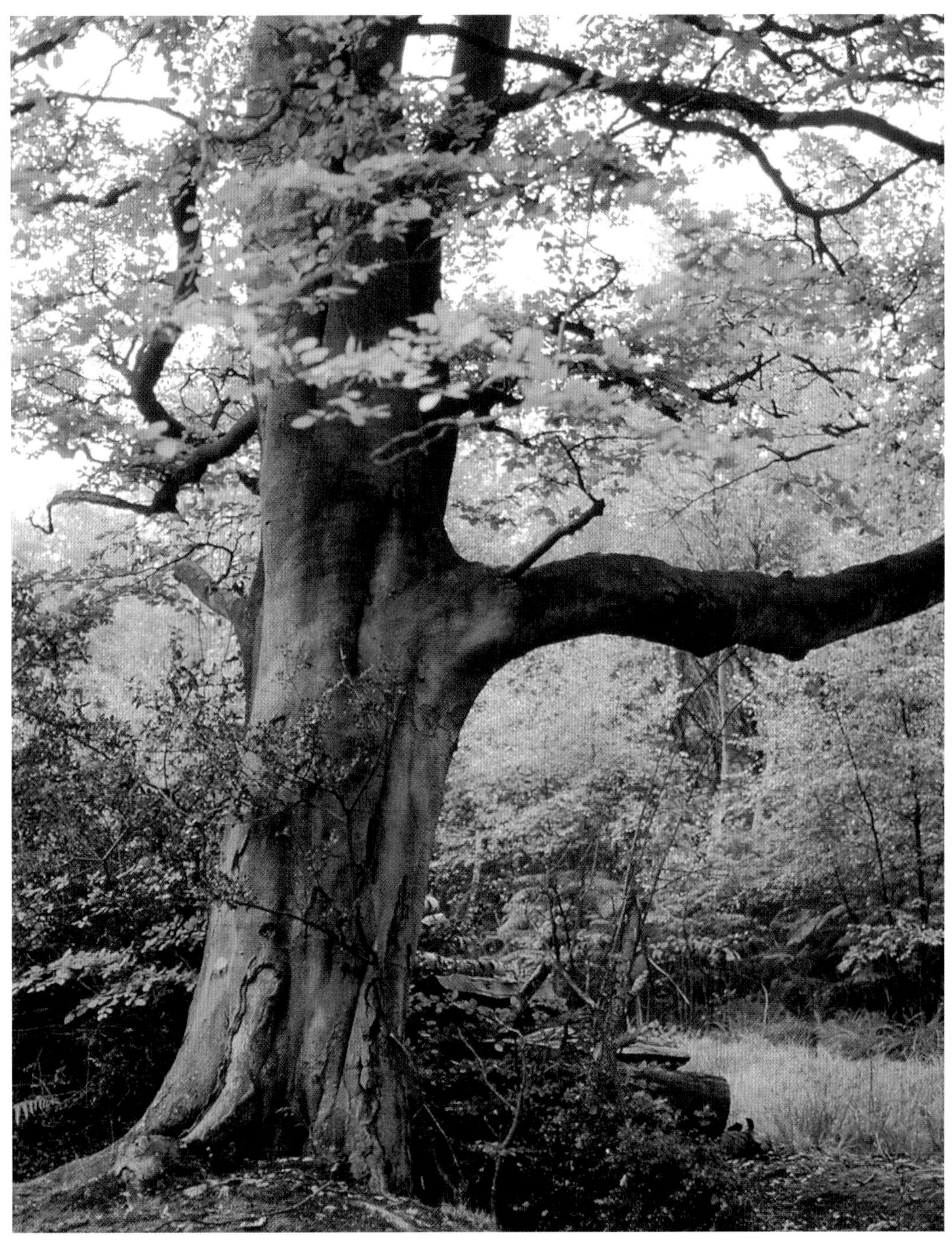

ブナの木の茂る「百町森」。フクロの住みかそのままのような木もある。

これらの本は、いずれもE・H・シェパードの挿絵の効果も相まって驚異的な売れ行きをみせました。一九二八年一〇月『プー横丁にたった家』が出版された時点で、『ぼくたちがとても小さかったころ』が十七万九千部、『クマのプーさん』が九万六千部、『ぼくたちはもう六歳』が十万九千部に達していました。さらに米国での売上総額は、これより遥かに大きなものでした。

こうした子どもの本の成功は、次第にミルン一家に大きな影を落とすことになります。『クマのプーさん』が売れれば売れるほど、読者は実在のクリストファーと物語の中のクリストファーの区別がつかなくなり、勝手にクリストファーの生活に入り込んできてしまうようになったのです。そのことに気づいたミルンは、この四冊の本でクマのプーさんの世界を終わりにしようとしました。しかし、「プーの呪い」は思春期を迎えたクリストファーに取りついて離れません。全寮制パブリックスクールのストウ校では、級友たちがクリストファーの歌う「おやすみのおいのり」のレコードを何度もかけて、繊細な彼をからかいました。

## 「もう一人のクリストファー」に翻弄された人生

やがてクリストファーは父親と同じケンブリッジ大学に入り、第二次大戦の勃発とともに英国陸軍工兵隊に入隊します。戦争が終わり、クリストファーは二七歳で大学に復帰しました。大学卒業後、クリストファーは就職活動に励み

ミルン一家が住んでいたコッチフォード・ファームの庭園には、プーとクリストファーの記念像が建っている。

ますが、『クマのプーさん』のクリストファー・ロビンのモデルであることが妨げとなってうまく職につけません。散々悩んだ挙句、クリストファーは妻と共に軍港ダートマスで小さな本屋を開きます。結婚相手は従妹のレズリーでした。クリストファーが本屋となったことも、従妹と結婚したことも、両親にとって大変不満でしたが、これも息子の反逆の表れだったといえます。

その後息子は両親と疎遠になり、父ミルンが心臓病で一九六五年に死亡したとき、その葬儀に参席しましたが、母親とはそれ以来二度と会うことはありませんでした。母はその後一五年も生きたのですが。

本の中のクリストファー・ロビンの名声によって実在のクリストファーの人生が翻弄されたように、父親ミルンも『クマのプーさん』の驚異的な大成功によって、本来劇作家であったのが、児童文学作家のレッテルを貼られたため、その枠から逃れられず苦しみました。結局、ミルンの芝居の上演は次第に途絶え、彼は深い失意のうちに人生を終えねばなりませんでした。

しかし、クリストファーの書いた『クリストファー・ロビンの本屋』によれば、彼が『クマのプーさん』によって作られた虚像に押しつぶされて、人生がスポイルされたままではなかったことが分かります。彼は自身の小さな本屋を営むことにより物質的にも精神的にも自立して、真の自己実現を果たしました。また、父ミルンの遺産を受けることを望んでいませんでしたが、娘クレアが重度の身体障害者で自立が不可能だったことから、のちに受け取ることを決意します。クレアが若くして亡くなると、基金（信託）はイングランド南西部の身

夏の夕暮れ、ギルス・ラップあたりから北西の方向を望む。ピンク色の花をつけたヒースの灌木が薄曇りの空に映えている。

ミルン一家が暮らしたコッチフォード・ファーム。風変りな形をしているのは、三軒の農家をひとつに合わせたため。三階の屋根裏部屋はクリストファーの部屋だった。

体障害者のために使われることになりました。クリストファーは父を恨んだこともありましたが、ミルンの死後、アン・スウェイト著作の『ミルンの伝記』を読み、父が自分をどんなに愛し、誇りに思っていたかを知り、父と和解することができたといいます。

## ハートフィールドに広がるプーさんの森

最後に、かつてミルン一家が住んでいた、サセックス地方のハートフィールド村を訪ねてみることにしましょう。森の一番高みがギルス・ラップ、本の中ではギャレオン凹地と呼ばれる魔法の場所です。ここはプーがよく遊びに来た、

上／魔法の場所、ギャレオン凹地には松の木がかたまって生えているのですぐに分かる。
下／ポジングフォードの森のはずれには「プーの棒投げ橋」がある。『プー横丁にたった家』でプーたちが棒投げ遊びに興じた場所。

Winnie the Pooh
A. A. Milne

クマのプーさん
A. A. ミルン（著）
石井桃子（訳）／岩波少年文庫

世界一有名なクマ、プーさんとその動物の仲間たちが、幼い少年クリストファー・ロビンと繰り広げる心温まるファンタジー。

そしてロビンとお別れをした思い出の地として、読者にもなじみの深い場所でしょう。また、『プー横丁にたった家』の挿絵でシェパードが描いているように、ギャレオン凹地の丘の上には松の木がかたまって生えているので、どこからでも目につきます。周囲を見渡すと、そこは一面ヒースやシダ類で覆われた荒地で、木々はまばらに生えている程度です。その西面一帯のすり鉢状のゆるやかな谷間を降りていきますと、ロビンたちの「てんけん隊」が発見した「ノースポール」が今もどこかに残っているはずです。さらにこの谷間の西側を登っていくと「百町森」と呼ばれるブナの森に辿りつきます。ここは以前、クリストファーが乳母や父ミルンと共に遊びに来たところで、ブナの木の枝の上にはフクロの家もあったことでしょう。

ここからギャレオン凹地に戻って、北に向けて少し行くと、左手の小高い丘の上には『クマのプーさん』の作者ミルンと挿絵画家シェパードを記念して石碑が建っています。この丘を降り、再び北に向かってしばらく歩くと、ポジングフォード森を通り抜けたところで「プーの棒投げ橋」と呼ぶ小さな木の橋に出会います。このあたりは遊歩道も整備されていて、世界中の人たちがやって来ては、橋の上からプーと同様、小枝を投げて競い合うところです。

ミルンが購入した別荘コッチフォード・ファームは、ロビンやプーが住んでいた家のモデルでもあります。三軒の古い農家を一軒に合体した、少々変てこりんな造りの家ですが、裏手の庭にはロビンとプーの並んで立つ石像や、プーたち動物の彫刻のついた日時計の石台が飾られています。

# 『秘密の花園』

## フランシス・ホジソン・バーネット

### 「良い子」でない主人公の魅力

フランシス・ホジソン・バーネットは、一八四九年、英国マンチェスター市で生まれました。彼女が四歳のとき父親が亡くなり、それまで裕福だった一家の暮らしは急激に傾いてしまいます。一家は米国に移住しますが生活は苦しく、一八歳のバーネットは家計を助けるために婦人雑誌に小説を投稿し、以来、作家の道を歩むことになります。

バーネットは大人向けの作品も数多く書いていますが、何よりも『小公子』『小公女』『秘密の花園』など少年少女向けの作品で人気を博し、児童文学作家としての地位を確立しました。そのうち晩年に書かれた『秘密の花園』は、発刊当時こそ『小公子』『小公女』のように大きな反響を呼びませんでしたが、今日ではバーネットの作品の中で最も高い評価を受けています。その理由を少

上／バーネットがメイサム・ホールに遺した庭園。6月になると赤、白、ピンクのバラが咲き乱れ、庭園中を芳香で包む。
下／庭園の片隅にあるガゼボー（あずまや）。バーネットはここで白いドレスを身につけて著作に励んだという。

し考えてみたいと思います。

『小公子』『小公女』の主人公は最初から「良い子」として登場し、彼らの境遇がどう変わろうとその本質は少しも変わりません。そこに描かれた主人公たちは、あくまでも大人の目から見ての理想の姿として捉えられています。ところが『秘密の花園』では、主人公であるメアリは、最初は憎たらしい子、可愛げのない子として描かれます。もう一方の主人公コリンにしても、わがままでかんしゃく持ちで、いつも死に脅える哀れな存在です。そんな二人が一〇年間閉ざされたままの花園の再生を通じて、だんだんと健康的な子どもらしさを取り戻していきます。自然の治癒力によって二人が魅力的な子どもに変貌していく、その過程の不思議さ、素晴らしさが読者を魅了してしまうのです。

バーネットはこの作品によって、旧来のヴィクトリア朝風の観念に囚われたセンチメンタリズムを脱け出して、二〇世紀の新しい児童文学の領域を切り拓いたといってよいでしょう。子どもたちは庭園をよみがえらせ、花や木々、小鳥を慈しむことで、自然から健やかな生命力を受けとります。同時に、それは人間同士にも当てはまります。メアリがコリンに働きかけることで自分の本質を見つけたように。また、ディコンやマーサの存在がメアリとコリンを立ち直らせたように。

上／四階建てのグレート・メイサム・ホール。裏手に庭園「秘密の花園」がある。右／庭園入口の鉄柵門の傍らには「The Secret Garden」の銘板が見える。下／つる棚にはバラの木の枝が絡まり、緑の通路をつくりだす。

見渡す限り赤く染まったムーア（荒野）。物語の序盤でメアリが馬車から目にしたのは荒涼とした冬のムーアだったが、夏にはヒースが鮮やかな花をつける。

The Secret Garden

Frances Hodgson Burnett

## バーネット自身が再生させたバラ園

ではバーネットは、いかにして現代を先取りする、鋭く深い洞察力に満ちた作品を生み出すことができたのでしょうか。この本を読んで気づくことは、「庭（Garden）」が重要なキーワードになっている点です。バーネットにとって、生涯「庭」は生きる喜びを生みだす根源でした。

彼女は若くして小説を書き始め、のちに英米両国にまたがって作家としての栄光と富とを獲得しますが、他方では二度の不幸な結婚と離婚を繰り返し、また長男の死、女流作家に対する世間の好奇の目、度重なる病気などにより、多大な代償を支払わねばなりませんでした。そうした栄光と挫折のはざまで苦悩に苛まれたバーネットの心のよりどころとなったのが、バラの栽培と庭づくりでした。ことに一九〇〇年代初め、さまざまの不幸が彼女を苦しめたときに強い支えとなったのが、ケント州ロルヴェンデンのメイサムホール（のちにグレート・メイサムホールと改称）の庭でした。彼女は屋敷の傍らに打ち捨てられていた庭園（果樹園）を復活させ、そこにたくさんのバラを育て、美しい花園をよみがえらせることで自らを励まし、数々の作品づくりに打ち込みました。

さて、『秘密の花園』刊行百周年を記念して、世界中で記念行事が開かれた翌年のことです。私はロルヴェンデン村のグレート・メイサムホールを訪問しました。門番小屋のついた立派な門を入ると、彼方に煉瓦造りの四階建ての建

バーネットがフランスから取り寄せた「マダム・ロイネット・メッシニィ」。今も薄いピンク色の大輪の花を咲かせている。

物が見えます。管理人のワットさんの案内で、建物の裏にある庭園を見せてもらうことになりました。

鉄柵門の傍らには「The Secret Garden」の表札が掲げてあり、それだけで私の胸はときめきました。芝生の広がる庭園は高い煉瓦塀で囲まれ、そこにはつるバラの枝が伸びていますが、残念ながら季節が早過ぎて花は咲いていません。庭園の真ん中には石造りの四角いつるバラの棚があり、その下は舗道となっています。棚の上を這うバラの木の太い枝ぶりから、満開の頃はさぞかしと思われます。南西の隅に建つガゼボウ（あずまや）の傍らには、赤味をおびたバラの木が何本も生えていました。管理人のワットさんが「このバラは、バーネットがフランスから取り寄せた《マダム・ロイネット・メッシニイ》という新種で、今も六月になるとライトピンクの大輪の花を咲かせるのです」と言うので、私は思わず、「来年の六月、是非もう一度お邪魔させてください」とお願いしてしまいました。

翌年の六月末、期待に胸をふくらませながら、グレート・メイサムホールを再訪しました。鉄門を開けた途端、香しいバラの薫りに包まれます。目の前の石棚の上には石竹色（ピンク色）、赤色、白色、さまざまのつるバラが折り重なるようにして咲き誇り、その華麗さ、あでやかさには溜め息が出るほどです。続いて、バーネット手植えの「マダム・ロイネット・メッシニイ」のもとへ参りますと、薄桃色の大輪のバラの馨しさに陶然として、しばらくの間見とれてしまいました。

右／ケント州にあるシッシングハースト・ガーデンは「英国の宝石」とも呼ばれ、春にはツツジや水仙の花で彩られる。左／満開の赤いバラで埋め尽くされた、カースル・ハワードの庭園。

秘密の花園
フランシス・ホジソン・バーネット（著）
山内玲子（訳）／岩波少年文庫

インドで両親を亡くしたメアリは、英国ヨークシャーの広大な屋敷に住む叔父に引きとられる。そこには10年以上誰も足を踏み入れたことのない「秘密の庭」があった。

グレート・メイサムホールの旅のあと、ノース・ヨークシャーのモールトン近くに存する邸宅カースル・ハワードと、一面ヒースで覆われたノース・ヨークシャー・ムーアを訪ねました。前者は、一説には物語の舞台のクレイヴン屋敷のモデルと伝えられますが、バーネットは一度しかノース・ヨークシャーを訪ねたことがないので事実とは思えません。ただ、カースル・ハワードの広大な庭園内のローズ・ガーデンは実に見事で、確かに物語を思い起こさせるものでした。ノース・ヨークシャーのムーアは、物語の中では冬だったために真っ黒な広大な海のように見えるという描写がありますが、このときは夏で、ピンク色に咲くヒースの花で一面荒野が赤く染まっていました。これもまた日本人の私には、想像を絶する不思議で美しい光景でした。

ニューヨークのセントラルパークには、バーネットを記念して池の中にメアリとディコンの銅像が建てられている。

# 『第九軍団のワシ』

ローズマリ・サトクリフ

遥か二千年前の世界を克明に描き出した
サトクリフの代表作

『第九軍団のワシ』の作者、ローズマリ・サトクリフは一九二〇年、ロンドンの郊外のサリー州で生まれました。恵まれた家庭に育ちましたが、小さい頃小児マヒに冒され、生涯車椅子の生活を余儀なくされます。彼女は若い頃画家を目指しましたが、のちに歴史を題材とする児童文学作家として成功しました。サトクリフは身体の不自由な身でありながら驚くべき努力家で、四十年の作家生活で約五十冊の作品を書き上げています。

サトクリフの作品のうちで、子どもたちに最も人気があるのが『第九軍団のワシ』をはじめとするローマン・ブリテン三部作です。そこでは同じ血のつながりをもつ家系の三代の主人公を、ほぼ一〇〇年の間隔をおいた別々の時代に

イングランド北部に残る古代ローマ帝国の防壁、ハドリアヌスの長城。マーカスたちが《ワシ》を奪還して辿りついたボルコビクス砦跡の北の塁壁は、ここに連なっている。

ローマン・ヴィラの遺跡で名高いビグノア村の川べりは、可憐なブルーベルの花で紫に染まっていた。

置いています。サトクリフがこのような形をとって描きたかったことは、はじめ征服者としてやって来たローマ軍団も、長い歴史の中で被征服民のブリトン人（ケルト人）の血と融合し、同化して、ひとつの新しい民族をつくりあげていった歴史の形成過程であり、それを子どもたちに納得いくような形で伝えたかったのではないでしょうか。この主題は『第九軍団のワシ』の中では、百人隊長マーカスと奴隷エスカ、あるいはマーカスとコティアの関係を通じて追及されています。

辺境の地を守備する百人隊長マーカスは、ブリトン人の反乱によって重傷を受け、軍人としての栄光の道を閉ざされます。それと同時に、心を許したブリトン人に裏切られ、彼を死に至らしめたことによる心の痛手も受けることになります。しかし最後には蛮族の支配する地に潜入し、第九軍団のワシを奪還することで生きる道を新たに切り拓いてゆきます。同時に、命を懸けて行動を共にしたブリトン人エスカと、固い絆で結ばれた生涯の友となることも忘れてはならないでしょう。

サトクリフの他の作品にも共通することですが、彼女の作品に描かれた主人公は、いずれも心や肉体に障害をもつ若者です。彼らは「自分の身にふりかかってくるさまざまな困難を正面から受け止め、生きる道を切り拓いていく間に、生きるに値する人生を生きるためには自分にとって何が真に必要であるかを発見してゆく」（『王のしるし』訳者あとがきより）という成長の過程をたどってゆきます。

上／チラニウム砦に残るローマ軍団兵舎跡。その右手には二千年前に使われた下水道跡も保存されている。下／植民都市カレバの東門外に残る円形闘技場跡。物語では、ここでマーカスが剣闘士エスカの命を救った。

理想が地に落ち、よりどころとなるものを喪失した現代は実に生きづらい時代となっています。そうしたなかで、サトクリフの作品は若い読者に大きな励ましを与え、人生を生き抜く力強い指針となることでしょう。

## ローマン・ブリテンの世界へといざなう数々の遺跡

『第九軍団のワシ』の訳者、猪熊葉子さんがサトクリフのもとを訪れたときの話によれば、サトクリフは一つの作品を書きあげるのに平均二ヶ月の調査期間をおいたそうです。彼女は事実をしっかり調べつくした挙句に、想像力でその材料を生きた世界に再現してみるのだということ、また彼女は不自由な身体でありながらどこへでも出かけてゆき、過去の記録に基づくのみならず、自分の目でしかと見たことを土台にして物語を創作しているということです。

私も『第九軍団のワシ』の舞台を訪ねる旅に出かけてみて、そのことを何度も実感しました。ローマン・ブリテンの世界は遙か二千年も昔のことであるのに、各地に無数の遺跡が実在し、物語に強いリアリティを与えているのです。

例えば、物語の題名となった第九軍団のワシは、レディング市博物館に展示されています。カレバ・アレバートゥム（シルチエスター）の神殿跡で発見されたこのワシは、サトクリフが生きていた時代には、第九軍団が失ったワシの旗印だと考えられていました。北方で失われたワシがなぜ南イングランドで発見されたのか、その謎解きをしたのが『第九軍団のワシ』だったわけです。し

物語の題名ともなった第九軍団の《ワシ》と考えられていた像。カレバの神殿跡から発掘され、今日ではレディング博物館に展示されている。

かし最近の研究の結果、このワシは第九軍団のものではなく、もともとカレバの神殿に飾ってあった像の一部であったということがわかっています。

レディングからそう遠くないところには、巨大な廃墟と化した城壁に周囲を囲まれた、古代ローマ植民都市カレバ跡が存在しています。ここは発掘後、もとの畑地に戻されていますが、城壁の東門外には円形闘技場跡が残っており、そこにはかつて櫓（やぐら）が組まれ、約四千人分の見物席をしつらえていました。マーカスはこの席から親指を上に立てて、殺されかかった剣闘士エスカを救ったのです。

さらにイングランド北辺のハドリアヌス長城（ローマンウォール）の上にあるボルコビクス遺跡（現在のハウステッド砦跡）は、マーカスたちが《ワシ》の奪還後、最後に辿り着いた場所です。ここはかつて千人の兵士が駐屯したこの地で最大規模の砦跡で、司令部、兵舎、病院、倉庫、便所などの跡が残っており、ローマ軍団の生活ぶりを彷彿とさせてくれます。

## 「ワシ」を隠したハイランド地方のオウ湖へ

探索の旅でもっとも忘れ難いのは、《ワシ》を求めて、マーカスとエスカがにせ目医者とその従僕に変装して放浪したカレドニア——現在のスコットランド・ハイランド地方を訪ねたときのことです。エピダイ族が居住したといわれるクルーアカーン山麓には、西の方に伸びるオウ湖が銀色に光り輝いていまし

第九軍団のワシ

ローズマリ・サトクリフ

エスカは奪還した《ワシ》をオウ湖のほとりに隠すが、マントからブローチを落として足がつき、追われる身となる。湖の背後にはクルーアカーン山が迫る。

上／西サセックス、ビグノアのローマン・ヴィラ（大邸宅）遺跡。ここにはすばらしいモザイクの数々が展示されている。下右／イルカのモザイク。物語のマーカス一族の家紋を想起させる。下左／ユピテル大神の象徴であるワシと若者を描いたモザイク。

第九軍団のワシ

ローズマリ・サトクリフ

クルーアカーン山の中腹から見下ろすオウ湖には、二つの小島が浮かんでいた。物語でエピダイ族が居住し、マーカスたちが訪ねた山腹とはこのような土地であったろうか。

第九軍団のワシ

ローズマリ・サトクリフ（著）

猪熊葉子（訳）／岩波少年文庫

紀元２世紀、ローマ軍団の百人隊長マーカスは、ブリトン人との戦いで負傷して退役する。奴隷のエスカとともに、忽然と行方を絶った父の軍団とその象徴である“ワシ”を求め、辺境のブリテン島北部へと旅立つ。

た。オウ湖はマーカスたちがワシを隠し、エスカが服を脱いで湖に潜ったときにブローチを落としてしまった場所です。お話の中のこととはいえ、小島の入り組んだ波打ち際を見ては「あそこではないか」などと想像せずにはいられませんでした。

湖の全景を眺めようと急な坂道を登って行きますと、新緑の森に囲まれたオウ湖には島が二つばかり浮かんでいて、その眺望は素晴らしいものでした。帰る途中、草原の中に石で踏み固めた、かつてのローマ軍団が作った軍用道路と思われる跡を見つけました。その瞬間、「ああ、サトクリフはここを訪れたに違いない」と感じたのです。事実の持つ迫力に圧倒され、私はこのとき、リアリティに裏づけられたサトクリフの創作力の根源を発見した気がしたのでした。

物語の最後では、マーカスは元老院からほうびとして西サセックス丘陵地のローマン・ヴィラが与えられます。サトクリフはこの農場の場所を明示してはいませんが、一八一一年に、彼女の住んでいた家の近くで発見されたビグノア・ローマン・ヴィラの遺跡がその場所といえるでしょう。ここにはローマの主神ユピテルの象徴であるワシと若者の見事なモザイクや、イルカのモザイクが残っています。サトクリフはこのイルカを見て、マーカス一族の家紋としたのではないかと思います。

# 『ともしびをかかげて』

ローズマリ・サトクリフ

## アーサー王伝説に材をとった
## カーネギー賞の栄冠に輝く傑作

サトクリフの『ともしびをかかげて』は、ローマン・ブリテン三部作の最終巻（のちに書かれた『辺境のオオカミ』を加えて四部作とする場合もある）にあたります。

紀元四世紀後半、ブリテン島はピクト人、スコット人（アイルランド人）、サクソン人の相つぐ侵入によって、ローマ人の支配は崩壊の危機に瀕していました。紀元四一〇年、ローマ皇帝ホノリウスはついにブリタニアを放棄し、軍団のローマへの引き揚げを命じます。ブリトン人であり、ローマ軍の兵士でもあった主人公アクイラは、ローマへと撤収する軍団から脱走して故郷の農場へ戻りますが、そこで海のオオカミ、サクソン人の襲撃に遭います。父は殺され、

ドーバー城内に残るローマ時代のドブリス灯台跡。ここはルトピエ灯台（現存しない）同様、ローマから入港するガレー船の道しるべとなった。

北ウェールズに近いデーバ（現在のチェスター）はローマ軍の駐屯地であり、当時の城壁、円形闘技場などが残る。

妹はさらわれ、彼自身も奴隷としてジュートランド（デンマーク）に連れていかれますが、ジュート人のブリテン再侵入の際にサクソン人の妻となっていた妹の助けによって脱走し、アーフォンのアンブロシウスの配下に入ります。のちにアクイラは、アンブロシウス軍の指揮官となってサクソン人と戦い、大勝利を収めます。これが物語のあらすじです。

アクイラがその臣下となり、ともにサクソン勢と戦ったこのアンブロシウスなる王は、どうやらアーサー王そのものをモデルにしているようです。このアーサー王（アンブロシウス）物語には、円卓の騎士たちも王妃グネヴィアも一切出てきません（アーサー王は実在した人物といわれますが、ケルト人は文字を持たなかったため史実としてはほとんど何も残っていません）。ここでのアーサー王はローマ人の血統を継ぐブリトン人として登場しており、サクソン族のブリテン侵入に対抗して戦った英雄としての側面が強調されています。中世のロマンに満ちた騎士物語の要素は剥ぎ取られ、ローマ軍がブリテン島を去った後、ウェールズ地方に拠点をおいてサクソン人たちと対決路線を堅持した歴史的存在として描かれているのが、このアンブロシウスなのです。

## ローマ時代の灯台が残る砦跡

さて、ここでは『ともしびをかかげて』の主要な舞台や場所を紹介しましょう。物語で重要な役割を果たす「ともしび」が掲げられるルトピエ砦（現在の

巨大な石造りのルトピエ砦は紀元275年頃建設され、ローマ帝国のブリテン島支配の重要な拠点だった。

## ともしびをかかげて

ローズマリ・サトクリフ

上／湖の彼方に聳立するヤーウィドファ山（スノウドン）。物語では近くにアンブロシウスの砦がある。左／カナーヴォン城に近いセゴンチウム砦は紀元70年代に建設され、ローマ支配末期まで軍隊を駐屯させた。

引き潮の際には海岸一帯が湿地となる「白貝のアーバー」。この地でアクイラたちとスコット人の熾烈な戦いが始まる。

ケント州リッチバラ）は、本国ローマと属州ブリテン島を結ぶ重要な基地でした。紀元二七五年頃築かれ、今も西面に残る巨大な石造りの城壁跡は、砦全体の規模の大きさを彷彿とさせます。この砦は二千年前には海岸に接していましたが、その後の地盤隆起により海岸は後退してしまいました。砦にはファロスと呼ばれる灯台がありましたが、現在は倒壊して存在しません。しかし、近くのドーバーにある中世の城内には、ローマ時代のドブリス灯台が今も残っており、これがルトピエ灯台の実体を推測するのに役立ちます。

ウェールズは作中でアンブロシウスの軍隊がしばらく立て籠もっていた地域だけに、物語を思い起こさせる史蹟には事欠きません。その一例が「白貝のアーバー」の浜辺です。ここには今もアーバーと呼ばれる集落が存在しており、そこから石混じりの遠浅の海岸がのびています。

この海辺の背後に迫る高い山の背には、今もローマ軍団の道が残っています。物語の中でこの道を疾駆してくるのは、父親ボーディガンに反抗してアンブロシウスと同盟を結ぶボーティマーら「若いキツネ」の騎馬隊です。この両者が手を結び、海の彼方から襲来するスコット人の略奪船を撃滅することにより、新しい絆が生まれるのです。物語に強いリアリティを与えてくれるアーバーの海岸線は、今も私の眼に焼き付いています。

さらに南西へ進み、眼前にアングルシー島を望むカーナボーンに参りましょう。この丘の上にたつセゴンチィウム砦跡は、紀元七〇年頃、属州総督アグリコラが築かせた要塞で、兵舎や穀物倉庫、司令部の跡が整然と並んでいます。物語のアンブロシウスの時代には廃墟となっていて、襲来するスコット船を見張る地点となっていました。砦跡に並んで立つ高い松の木々は、かつてローマで見かけた松並木とよく似ており、もし二千年前の昔もここに生えていたとしたら、ローマ軍の兵士たちに強い郷愁を誘ったことでしょう。

上／アクイラの小隊はドロブリエ（ロチェスター）の川に架かる橋上でサクソン勢と激突した。下／決戦の前夜にアクイラの軍が野営した、草堤に囲まれたフィズベリー・リング。

ともしびをかかげて

ローズマリ・サトクリフ（著）

猪熊葉子（訳）／岩波少年文庫

ローマ軍団の指揮官アクイラは、ブリテン島から撤収する軍団を脱走し、故郷のブリテン島にとどまることを決意する。激動の時代、歴史に翻弄される人々を描いた、サトクリフの最高傑作との呼び声も高い作品。

最後に、アクイラの軍勢とサクソン軍とが大決戦を展開したソルビオダナム（現在のオールド・セイラム）周辺を紹介しましょう。ここは鉄器時代からローマ時代にかけて、砦として利用され、その後中世にはソールズベリー旧都市だったところです。その規模は巨大なもので、周囲が深い壕で囲まれています。アーサー王とその軍勢はベイドンの戦いで大勝利を収めたと伝えられているので、サトクリフはソルビオダナムを「ベイドン」の地に擬していたのかもしれません。

『ともしびをかかげて』の一九章の冒頭には次のような文章があります。「ブリテン軍は、丘の上の古い砦の草堤の内側に野営していた。その砦はソルビオダナムの東数キロのところにあった」。わずかこの二、三行の文章を頼りにこの地を訪ねた私は、まさに東数キロの場所に、フィズベリー・リングと呼ばれる小高い堤に囲まれた砦跡を見つけました。その堤を登ると、砦内に広がっていたのは、アクイラと兵士たちが決戦に備えて露営した草原そのものでした。私は自分自身が数千年前の兵士の一人になったような錯覚にとらわれ、ただ呆然と立ちすくんでおりました。振り返ってみると、そこには「丘陵と丘陵の間をソルビオダナムからカレバへ通じる道」が、ほの白く光っていました。

# 『辺境のオオカミ』

ローズマリ・サトクリフ

## 西部劇にヒントを得て生まれた戦記物語

『辺境のオオカミ』の主人公、百人隊長アレクシオスは、前任地で起こった反乱に早期撤退の誤った判断をくだしたため、多大の犠牲者を生じさせ、ブリテン島の辺境守備隊の指揮官に左遷されます。そこを守備する部隊は正規の地方軍団ではなく、「辺境のオオカミ」と呼ばれる兵士たちでした。

この辺境の地に過ごすうち、アレクシオスはある事件をきっかけに、現地のヴォダディニ族の反乱を受け、再び全員撤退を余儀なくされます。アレクシオスは負傷者を含む部隊を率いて後方のブレメニウム砦に辿りつきますが、そこの守備隊は既に全滅していました。追跡してきたヴォダディニ族の攻略により、部隊は全滅の危機にさらされますが、アレクシオスはかつての親交を結んだ族長と一騎打ちを試み、彼を倒しますが自身も重傷を負います。この時間稼ぎが

上／アントニヌス・ピウス帝がスコットランド侵略の折に建設した、土塁と溝による防壁「アントニヌス長城」の跡。今日ではほとんどが消滅している。下／かつて最前線基地としての役割を果たしたブレメニウム砦の西門跡。

功を奏し、部隊は救援隊によって救助されますが、次の撤退地ハビタンクム砦も危機が迫り、最後にはハドリアヌス長城のオナム砦まで引き下がります。アレクシオスはこの地で会った皇帝コンスタンスから栄誉ある昇進の道を勧められますが、彼は敢えて辺境のオオカミたちと、この地で生涯を共にすることを決意します。

『辺境のオオカミ』は、作者サトクリフがスランプに陥った時期に、彼女の好きな西部劇映画からヒントを得て生み出されたと伝えられます。それまでのローマン・ブリテン三部作の主人公たちが、いずれも組織体制を離れ、自らの努力に基づいて進むべき道を探り当てるのに対し、この作品は、規律を厳守せねばならぬ軍隊と兵士の物語として終始しています。「個人は自分の属している集団とどのような関係にあるのか、ひとつの集団のなかでどこまで自由に生きる可能性があるのか。またその集団の統率者の具えるべき条件とは何であるのか」（訳者あとがきより）。そんな現代でも解決困難なテーマを取り上げて、サトクリフは三部作を超える新境地を切り拓いています。

さらに『辺境のオオカミ』で注目したいのは、物語の舞台となるブレメニウム砦やハビタンクム砦は、英国人ですらよく知らない辺境の地でありながら、そこからは数々の発掘品が発見されいて、作品が確固とした事実に裏づけられていることです。私はこれらの地を訪ね歩き、改めてサトクリフの時代考証に対する信念に深い敬意を抱かざるを得ませんでした。

右／古代ローマで信仰されていたミトラス神の像。ミトラス神は宇宙の卵から孵化したとされる。左／「反抗的なシリアの弓の使い手」と描写される、ボルコビクス砦跡から出土したシリア人の弓兵の石像。（いずれもハンコック博物館所蔵）

## スコットランドの「辺境」に残るローマ軍団の足跡

私が最初に訪れたのは、アレクシオスの部隊が撤去を開始した、エジンバラ郊外クラモンドにある「カステッルム」砦です。ここは紀元一四二年、アントニウス・ピウス帝の命でローマ軍がスコットランドに侵略した折に建設された砦です。その七〇年後、セプティミウス・セルウェス帝のスコットランド遠征の折、同帝によって再び使用されました。しかし、物語でアレクシオスがこの砦を守備した四世紀前半、ローマ軍がこの砦に存続し得た可能性は少ないと思われます。現在この砦跡は、この地に建つ教会の境内に残っており、司令部、兵舎、穀物倉庫の土台跡を見ることができます。この近くからは獅子（ローマ軍）が人間（蛮族）を食い殺す巨大な石像が発掘され、スコットランド国立博物館に展示されています。

続いて、アレクシオスの部隊が撤退したブレメニウム砦を訪れました。スコットランドの境界に近い、ノーサンバーランド地方のハイロチェスターに残る実在の砦跡で、紀元二一六年に建設されたものです。ここはローマ軍団がハドリアヌス長城に撤去した後も、長らく前線基地としての役割を果たしており、物語ではアレクシオスが族長クーノリクスと一騎打ちをした砦です。現在、ブレメニウム砦跡は農家に私有されていますが、南面の防壁の西部分にある城間のタワー跡や西門跡、あるいは南西コーナーの城壁など、かつての砦の偉容を

## 辺境のオオカミ
ローズマリ・サトクリフ

TRIMONTIVM
HERE·ONCE·STOOD·THE
FORT·OF·TRIMONTIVM
BVILT·BY·THE·TROOPS
OF·AGRICOLA·IN·THE
FIRST·CENTVRY·A.D.
ABANDONED·AT·LEAST
TWICE·BY·THE·ROMANS
AND·VLTIMATELY·LOST
BY·THEM·AFTER·FVLLY
ONE·HVNDRED·YEARS
OF·FRONTIER·WARFARE.
ERECTED BY THE
EDINBURGH BORDER COUNTIES ASSOCIATION
A.D. 1928

紀元1世紀、アグリコーラ率いるローマ軍団のトリモンティウム砦築城を記念して、1938年建設された記念塔。

Frontier Wolf

Rosemary Sutcliff

辺境のオオカミ

ローズマリ・サトクリフ（著）

猪熊葉子（訳）／岩波少年文庫

ブリテン島に左遷された、ローマ軍の若き指揮官アレクシオス。衰退しつつあるローマ帝国の辺境で、「オオカミ」の異名をとる部下たちや周辺部族と絆を結んでいく。

しのぶことができます。またこの地で発掘された、船に乗るヴィーナスのレリーフのついたウォーター・タンクや女神ミネルヴァに捧げられた聖堂、その他兵士たちの墓標などが、ニューカースル大学附属ハンコック博物館に展示されています。

最後に訪れたのはハビタンクム砦跡です。物語ではアレクシオスの部隊は迫りくる危機のためここにとどまれず、オナム砦まで撤退を続行します。ここは一面羊のたむろする牧場に変貌し、かつての砦跡は、丘陵面に残る石垣に僅かにその印を残すのみでした。しかし、この地で発掘され、前述のハンコック博物館に展示されている、セルウェス帝のスコットランド遠征時の砦復活記念碑や数々の兵士の祭壇、墓碑などに、往時のローマ軍団の活躍がしのばれます。

ところで『辺境のオオカミ』（岩波少年文庫）の七〇〜七一頁で、百人隊長ヒラリオンが「わたしの生まれるずっと前に——あるいは父のころに、わたしに父があっての話ですが——反抗的なシリアの弓の使い手たちが送られてきたことがありました。そいつらは弓矢をもってきましてね。あの短い弓です。馬の背で使うのにもってこいの。それでここには今騎馬の弓隊がいるんです」と語っています。驚いたことに、ハンコック博物館には、シリアから来たという射手の石像が飾られていました。物語の通り、弓隊がこの地に本当に駐屯していたのですね。

# 『王のしるし』

ローズマリ・サトクリフ

## ローマ軍にあらがうスコットランドの「蛮族」側の物語

一九六五年、サトクリフは『王のしるし』を刊行しました。それまでの一〇年の間に彼女が発表したローマン・ブリテン三部作は、いずれもブリテンを支配するローマ人の視点で語られているのに対し、この作品では被征服民族、つまり、ローマ軍団に対抗する蛮族の立場から書かれています。

当時スコットランドには二つの氏族が住んでいました。一つはカレドニア族(カレドニア族を中心とした連合氏族をピクト人と呼ぶ)で、他方は自らを「ダルリアッド」あるいは「ゲール」と呼んでいたスコット人です。ダルリアッド族が男性神である太陽神をあがめるのに対し、カレドニア族は大地の母神を信仰し、王位を母方の血を通じて継承していました。物語はコルストピトゥムの奴隷剣闘士フィドルスが闘技場で親友を殺し、自由の身となるところから始まります。彼は酒場でのいさかいに巻き込まれ牢獄に入れられますが、彼の容貌がダルリアッド族の王子マイダーと酷似しているところから、身代わりと

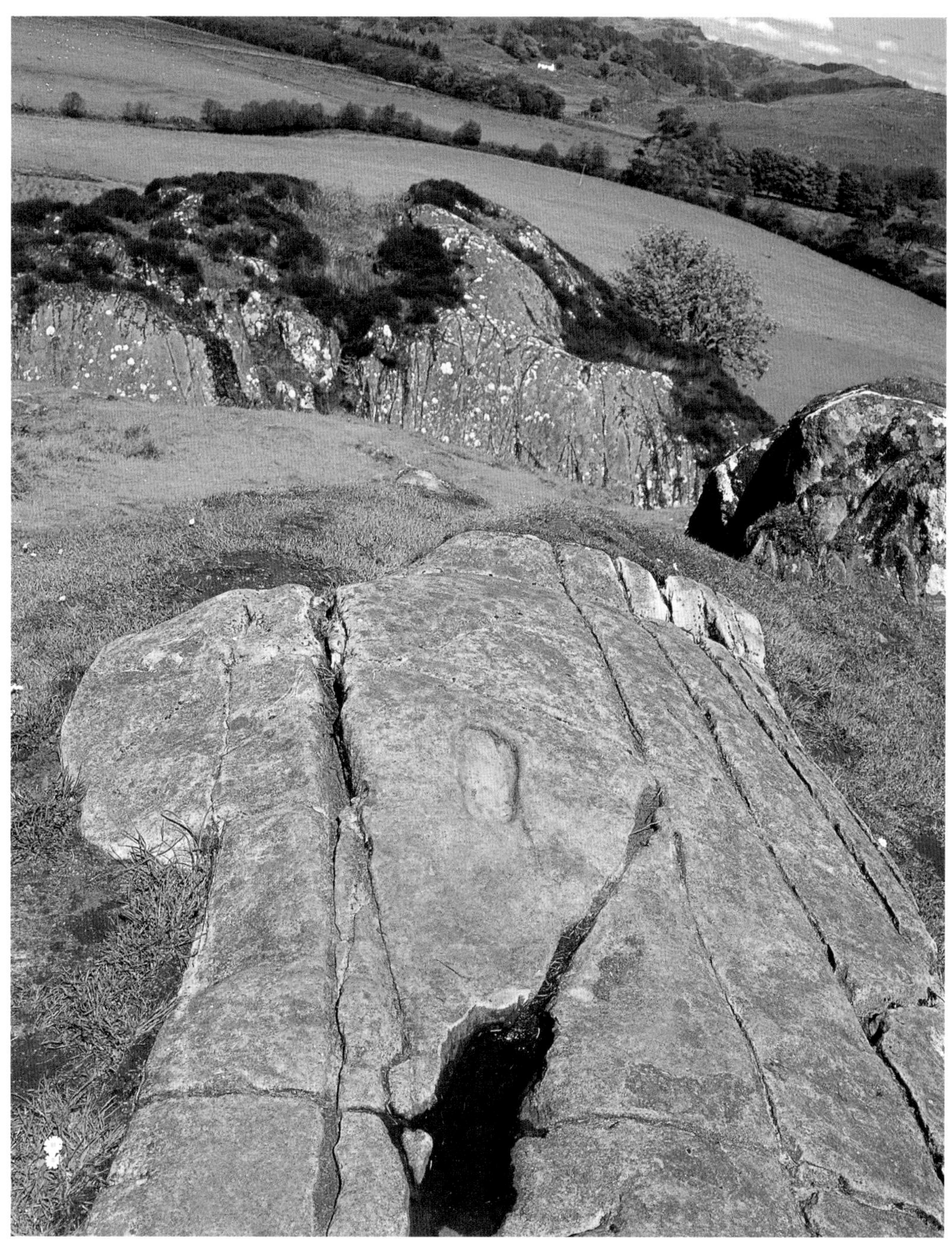

ダナッド砦の頂上にある平たい大岩に刻まれた、即位の儀式に使われた足形。サトクリフはこれを見事に物語の中に織り込んでいる。

してダルリアッド王国の都ダナッドに送り込まれます。

ダルリアッド族は太陽の民であり、父から息子へ王位を継承する父系制です。ところが彼らが征服したエピダイ族は、カレドニア族のような母系制で、王は女王に子どもを授ける以外その役目はありません。ダルリアッドの王が死んだとき、王位は息子マイダーが継ぐべきでした。しかし、王の腹違いの妹リアサンがカレドニアの風習を受け継いで、自ら女王として権力を掌握します。彼女は兄の息子マイダーの目をつぶして王の権利を奪い、七年の間、ダルリアッド族を支配下に置いていたのでした。

上／キルマーティン遺跡に残る新石器時代のストーン・サークル。下／コルストピトウム町の門にあったライオンの石像。現在コウブリッジ博物館に展示。

コルストピトゥム町の中心には神殿が築かれ、水道から引かれた泉があった。

ダルリアッド族の有志は、ひそかにマイダーそっくりのフィドルスを身代わりに立て、王位継承の儀式が進行する中、秘密の計画を実行します。王ロギオーレは倒しますが、女王リアサンの殺害は失敗し、彼女はカレドニア王を頼って逃亡してしまいます。女王と組んだカレドニア大軍との戦いが開始されると、フィドルス軍は奇策を図ってカレドニア軍を殲滅しますが、リアサンは今度はテオドシアの砦に籠るローマ軍のもとへ逃げ込みます。両者の結びつきに危険を感じたフィドルスは自らテオドシア砦に忍び込みますが、捕虜となってしまいます。しかし、盲目のマイダーがリアサンを捕らえ、わが身もろとも塁壁の下に飛び込み目的を果たすのでした。

フィドルスを捕虜としたローマ軍司令官は、彼を助命する代わりに、地方軍団の兵士千人の若者を差し出す条件を突きつけます。応じると見せかけたフィドルスは、砦下に集まる味方の軍勢にその条件を拒否すると伝えると、ブローチのピンを心臓に突き刺し、城壁から飛び込みます。フィドルスは、解放奴隷の身ながら王としての誇りをもって、自らの人生に終止符を打ったのでした。

## ハイランド地方の壮大な光景の中に残る遺跡

スコットランド・西ハイランド地方には、フィドルスの壮絶な生涯を描くにふさわしい数々の舞台が実在します。大都市グラスゴーから出発し、西方にそびえる山々や静寂の湖を三時間かけてバスで越えた先に、ギルプヘッド町が現われます。そこから北方に続くキルマーティン渓谷は、英国有数の古代遺跡集積地として知られています。キルマーティン村を中心に、スタンディング・ストーン（立石）列石、墳墓、砦、箱型石棺、石に彫られたカップ&リング状の紋様など、三五〇ほどの遺跡が点在します。

そうした中で最も注目すべきが『王のしるし』の主要な舞台であるダルリアッドの都、ダナッド砦でしょう。ダナッド砦はモイン・モハーと呼ばれる広大な湿原地に孤立する約五〇メートルの高さの岩山で、すぐ北側にはアッド川（The Add）が流れています。その川のほとりにある砦だからゲール語でドゥーン・アッド（Dun Add）、そこからダナッド（Dunadd）の地名が生まれました。険しい岩山の頂上には平たい大きな岩があり、そこは『王のしるし』に描かれているように、フィドルスが王位を継ぐ際に踏み入れた足跡（王位継承の儀式に使われた足型）が彫られています。また岩盤にはかすかながら戦士たちに愛されたという野猪の線画やオガム文字も見られます。

キルマーティン村の小さな博物館には、古代の鉄製の剣や槍先などと並んで、柳の小枝で編まれ、皮で覆った小舟も飾ってありました。物語の中で船頭と共にフィドルスが塩湖を渡った際の小舟というのは、このようなものだったに違いありません。

もうひとつ見逃せないのが、物語の中でフィドルスが壮烈な死を遂げた、あのローマ軍の砦テオドシアです。かつてここはローマ軍の大きな海軍補給地で、アグリコーラの治世には頻繁にクルタの入江をガレー船が上下したと伝えられ

上／麓から望む、ダナッド砦の堅固な岩山。頂上にいたるまでに、「玉の砦の五つの庭」を通り抜ける。左／モイン・モハーの湿原地帯に屹立するダナッド砦跡。ここはかつてダルリアッド族の都だった。

ダンバートン・ロックに残る城壁は、フィドルスが劇的な最期を迎えた場所。

The Mark of the Horse Lord
Rosemary Sutcliff

王のしるし

**ローズマリ・サトクリフ（著）**
猪熊葉子（訳）／岩波少年文庫

ローマの奴隷剣闘士フィドルスは、王位を追われ盲目にされたダルリアッド族の王マイダーの替え玉として雇われる。女王リアサンへの復讐と王位奪還のための壮絶な戦いのなかで、フィドルスは次第に「王」として成長してゆく。

ます。しかし、フィドルスがやって来た頃は見る影もなく落ちぶれた状況でした。ローマ帝国の撤退後、ここはアレ・クルタと呼ばれ、今日のダンバートン・ロックに至るまで数々の堅固な要塞が築かれました。しかし今日、ローマ軍のテオドシア砦の存在を証拠づける遺跡は何も残っていません。ただ、今も残る高い城壁より地上を見下ろすとき、そこに雄々しきフィドルスの最期の姿が見えるような気がするのです。

最後に、イングランド北部のコウブリッジ町には、かつてフィドルスが奴隷剣闘士として過ごしたコルストピトゥムの砦と植民市跡が博物館として保存されています。ここにはフィドルスが親友を殺した晩、最後に立ち寄った酒場近くにある大広場の泉跡も見られます。ただ、ここには未発掘地が多く残っていて、円形闘技場（アンフィシアター）がまだ発見されていないのが残念です。

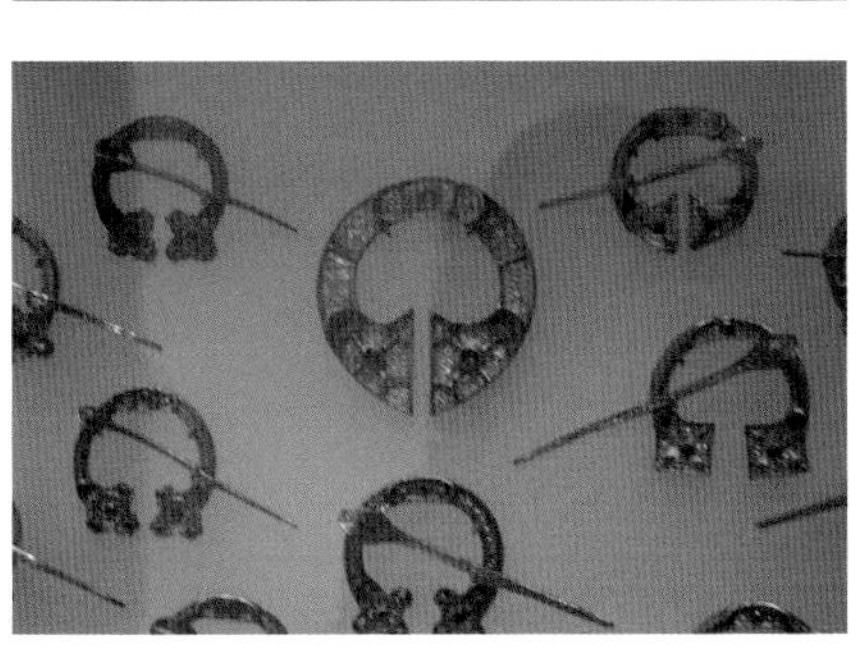

上／キルマーティン博物館に展示されていた柳の枝で編んだ小舟。物語の中でフィドルスはこの舟に乗って塩湖を渡った。下／ピクト人による精巧なブローチ。フィドルスが自身の胸に突き立てたような針も見られる。

# 曇天の下に広がる荒れ野と防壁——岩波少年文庫のカバー写真

池田正孝さんのスライド写真に初めて出会ったのはどこだったか、はっきりとは覚えていない。東京子ども図書館でのスライド講演会か、児童書専門店での写真展だったろうか。荒涼とした大地に、土台だけ残して断ち切られたような石垣が延々と続いている、いわゆる「ハドリアヌスの長城」の写真を前に、私は動けなくなってしまった。ちょうど、サトクリフの『第九軍団のワシ』の少年文庫化を検討していた二〇〇六年頃のことだったと思う。

誤解を恐れずに言えば、池田さんの写真は、決して技巧を凝らして実物以上に美しく撮られたものではなく、あるがままに風景を切り取ったものだ。曇天の下に広がる寂寥とした荒れ野と崩れた防壁を見ながら、「ああ、ほんとうにマーカスとエスカはここを歩いたに違いない」と、私は確信してしまった。当時から、池田さんは児童文学ゆかりの地のスライドを携えて、多くの場で講演会をされていた。作品への愛にあふれた池田さんの写真は、プロのカメラマンでは決して撮れない「作品の空気」みたいなものを映しだしているように思えたのだ。

「サトクリフの歴史ロマン」と題して一九六〇年代後半からハードカバーの形で愛されてきた一連の作品群を少年文庫化するという構想が持ち上がった時、真っ先に私の頭に思い浮かんだのが、池田さんのスライドだった。そして、少年文庫版『第九軍団のワシ』、『銀の枝』、『ともしびをかかげて』（上・下）、『辺境のオオカミ』、『運命の騎士』、『王のしるし』（上・下）のカバーに、池田さんの写真を使わせていただいた。

意外に思われるかもしれないが、刊行当時は少年文庫の物語のカバー表紙に写真を使うのは初めての試みで、賛否両論があった。サトクリフの作品はC・ウォルター・ホッジズやチャールズ・キーピングの挿絵とセットで長く愛されていたからでもあったと思う。今となってはそれも歴史になった、ということなら、編集担当としてはちょっぴり誇らしい。

（岩波書店編集部　石橋聖名）

# アーサー王伝説の源流を辿って

## 王の眠る地下洞窟

アーサー王伝説は、紀元四一〇年ローマ軍団のブリテン島撤退ののち、軍事指揮官アーサーがサクソン人と戦って大勝利を収めた歴史的事実に基づくものといわれます。しかし、この物語はのちにフランスに渡り、アーサー王と騎士たちを主人公にした中世騎士道のロマンスに作り変えられてゆきます。今に残るアーサー王伝説には、そうした二つの流れがあることをご承知おきください。

では本家の英国の各地に残るアーサー王伝説遺跡は、どちらの流れを受け継いでいるかといえば、各種混在していて明瞭な区別はつけられません。とにかく英国にはアーサー王伝説が東西南北、至るところに分布し、その探索を究めることは容易ではありません。深い穴があればアーサー王の洞窟になりますし、大きな石があればアーサー王の石になるといった具合です。

英国のアーサー王伝説で最もよく知られているのは、アーサー王が騎士たちや白馬と共に地下洞窟に眠っていて、英国の危機に際しては眠りを覚まして起

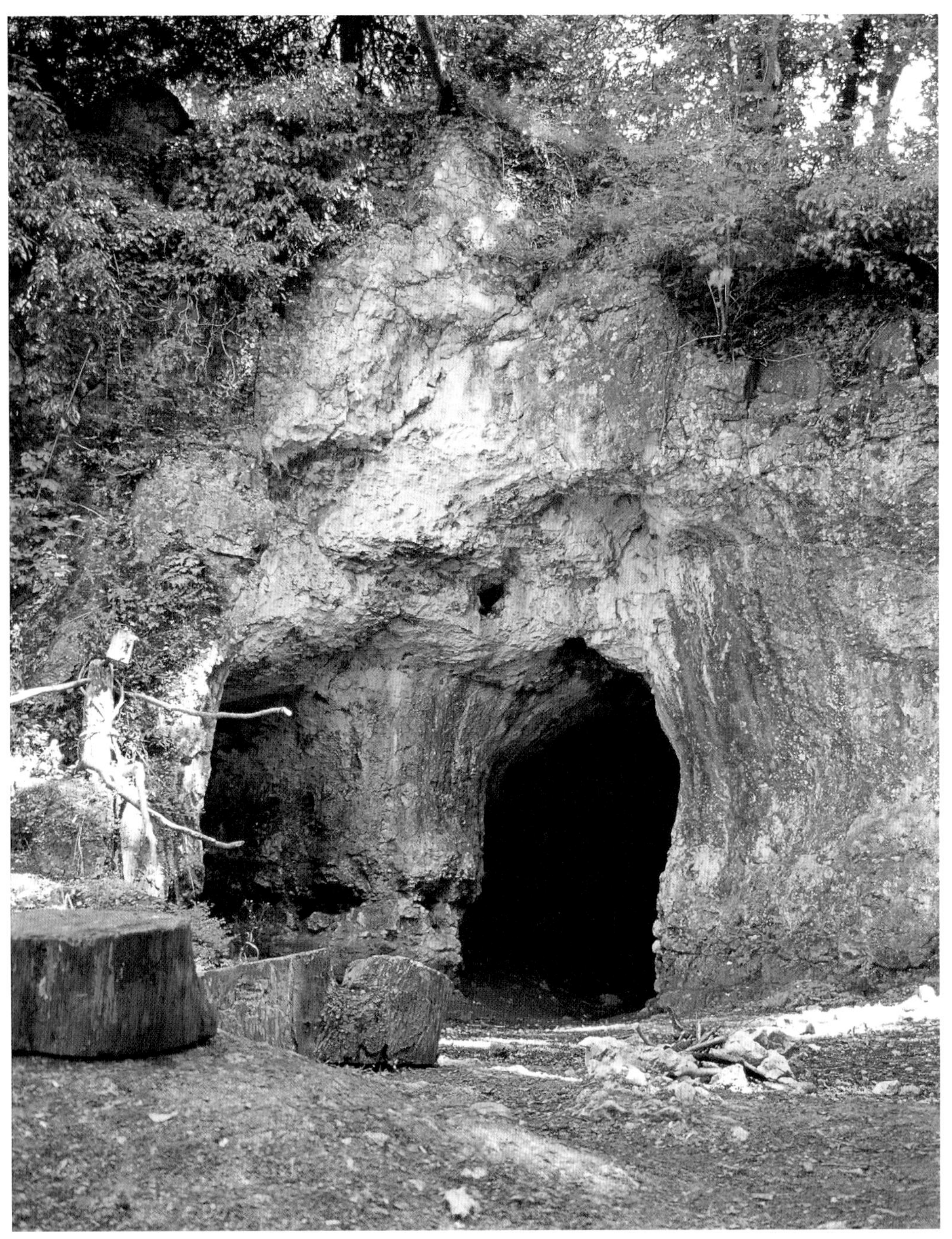

ウェールズ南端のモンマンス寄りの山地にある「アーサーの洞窟」と呼ばれる大きな洞窟。ここは一万年前、石器人が暮らしていたとみられる住居跡が発見されている。

定価
1,800円+税
世界の児童文学をめぐる
X-Knowledge
番線印
冊数／
発行所
(株)エクスナレッジ・販売部
〇三(三四〇三)一三二一
FAX〇三(三四〇三)一八二九
書名
世界の児童文学をめぐる旅
9784767828220
ISBN978-4-7678-2822-0
C0098 ¥1800E
定価：本体1,800円+税

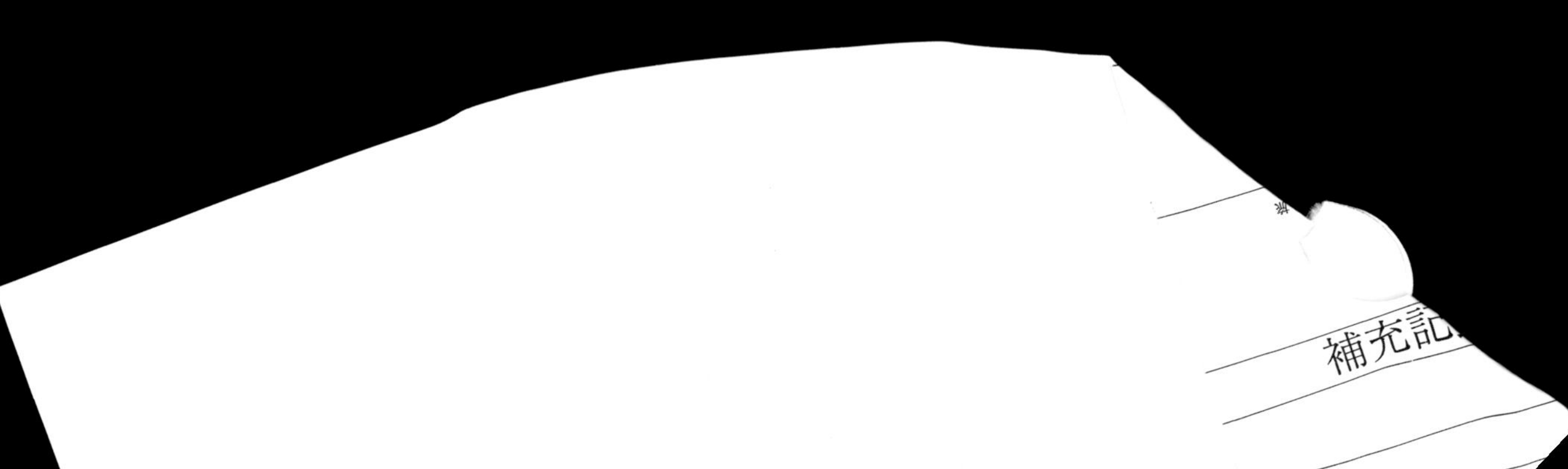
補充記

ティンタージェル島に残る城跡はアーサー王生誕の城と伝えられるが、実際には12世紀に築かれた城である。

ち上がるという洞窟伝説です。そのうち、有名なものとしては①スコットランド、メルローズ近くのエイルドン伝説 ②ローマンウォールのソーイングシールドの伝説 ③ノースヨークシャー、リッチモンドの伝説 ④チェシャー州のオールダリー・エッジの伝説 ⑤南ウェールズのダイナス・ロックの伝説の五つがあげられるでしょう。児童文学作品では、③リッチセンド伝説――ウイリアム・メイン作『地に消える少年鼓手』（岩波書店）、④オールダリー・エッジ伝説――アラン・ガーナー作『ブリジンガメンの魔法の宝石』（偕成社）の2作品が、洞窟伝説を現代に生きる少年少女の冒険と結びつけて描いています。

ところで、二〇一九年六月、ウェールズを旅した私たちは、⑤のダイナス・ロックでアーサー王の洞窟とされている場所のひとつを訪れました。その入口は一メートル四方の小さなものですが、内部は大きく広がっています。

## 聖剣エクスカリバーの沈む湖

ウェールズ地方には、ケルト語に由来するウェールズ語が継承されていることからも分かるように、アーサー王伝説はこの地方に起源をもつと考えられます。例えばサトクリフの『ともしびをかかげて』は、六世紀初期、ウェールズの聖人ギルダスによって著された『ブリテン衰亡記』に依拠して創作されており、作中に登場するアンブロシウス王はアーサー王をモデルにして描かれています。実際、ウェールズには数多くのアーサー王に関する遺跡が残っており、

上／ティンタージェル島の海岸には多くの岩窟がある。そのうちの一つが「マーリンの洞窟」（左端）で、満潮時には海水で塞がる。下／ボドミン・ムーアの近くにある石のドルメン、トレセヴィ・クオイト（石舞台）。別名「アーサーのクオイト」と呼ばれる。

アーサー王最後の戦である「カムランの戦い」が行われたとされる「スローター・ブリッジ（虐殺の橋）」。

例えばウェールズ国立図書館には「聖杯の騎士」の聖杯破片が展示されています。真偽の程は不明ですが、イエス・キリストと十二人の弟子たちが最後の晩餐に使われた木鉢の破片といわれ、ストラータ・フロリダ修道院出土と伝えられています。

ケルト文化が色濃く残っているコーンウォール半島にも、アーサー王遺跡と称されるものが少なくありません。その代表が、コーンウォール北海岸に突出した断崖絶壁の岬に残るティンタージェル城跡です。ここは、アーサーの父ウーサー・ペンドラゴンがマーリンの魔法の力を借りてコーンウォール公爵になりすまし、美貌の公妃に未来の王アーサーを身ごもらせた城と伝えられています。しかし実際には、コーンウォール伯爵が一二世紀に構築した城です。かつてここは本土とつながっていましたが、地盤変動により分離し、今日では木製の橋と階段を伝っていかなければなりません。さらに上に登って行くと、頂上には旧いケルト修道院跡、あるいは宗教コミュニティの跡が残っています。かつて考古学者がこの地を発掘したところ、紀元五、六世紀頃の東地中海地方で産出された陶器類の破片が多数発見され、ここは本当にアーサー王が住んでいた城ではなかったかと騒がれました。それらの出土品は入口にある展示館に飾られています。

この近くに広がるボドミン・ムーアにも、アーサー王にちなむ遺跡がいくつも存在します。ドズマリー・プールと呼ばれる小さな湖は、湖の姫が現れて、アーサーにエクスカリバーの剣を与えたところといわれています。アーサーが

スローター・ブリッジに近いキャメル川の河原には、アーサー王の墓碑と呼ばれる石碑が横たわる。

死に臨んで騎士に命じてこの剣を湖に戻した際、湖中より手が伸びてエクスカリバーの剣を受け取って沈んでいったという、あの有名な湖です。面積二〇八平方キロに及ぶボドミン・ムーアの中には、ほかにも「アーサー王の広間」と呼ばれる矩形状の湿地帯があり、それを囲いこむ形で何十本もの石柱が建てられています。実際には新石器時代に建てられたスタンディング・ストーンのようですが、その目的はわかっていません。

また、キャメルフォードと呼ばれる小さな町の近くにはスローター・ブリッジ（虐殺の橋）という橋があります。見たところ何の変哲もない石橋ですが、ここはアーサー王最後の戦闘、カムランの戦いがあった場所とされています。アーサー王はここで自分の甥とも息子ともいわれるサー・モルドレッドと戦い、彼を殺害しますが、自分も致命傷を受け、黄泉の国アヴァロンに運ばれます。スローター・ブリッジに近い河原には、アーサー王の墓碑と呼ばれる大きな石碑が横たわっています。「マガルスの息子ラティヌスここに眠る」という意味の碑が彫られており、明らかにアーサー王とは関係ないのですが、古代ラテン語の読めない人々はアーサー王の墓碑と信じています。

グラストンベリー寺院近くの小高い丘の上に
建つグラストンベリー・トアー。黄泉の国ア
ヴァロンの入口と称されている。

ソールズベリ平原に立つストーン・ヘンジ。
伝説ではカムランの戦いの戦死者を弔うため
マーリンが築いた墓とされる。

右／ウィンチェスターのグレート・ホールの壁にかかる「アーサー王の円卓」。鑑定では13世紀エドワードＩ世時代制作のもの。下／かつてのエイムズベリ修道院跡。アーサーの王妃グネヴィアが籠り、死去した場所と伝えらえるが、現在は老人ホームとなっている。

## アーサー王の円卓と墓

最後になりましたが、アーサー王伝説の地として英国で最もよく知られた場所を二つばかりご紹介しましょう。その一つは、サマセットシャーのグラストンベリー修道院跡に残るアーサー王の墓です。吟遊詩人からここにアーサー王が眠ると伝えられたヘンリー二世が発掘してみたところ、確かにアーサー王と金髪の王妃グネヴィアの遺骨と墓碑が発見されたというのですが、ヘンリー二世が権威づけのために自分のルーツをアーサー王に仕立てたのではないかというのが定説です。ヘンリー八世の修道院解体によって建物は破壊され、今はその墓のほか証拠となるものは何も残っておりません。

その近くにはチャリスウェル、聖杯の泉（井戸）と称する井戸跡もあります。さらに少し行くと、小高い丘の上にはグラストンベリー・トアーと呼ぶ石造りの高い塔が建っています。ここは黄泉の国アヴァロンへの入り口とされています。

もう一つは、古都ウインチェスターに残るグレート・ホールです。その大広間の壁には木製の大きな円卓が掛かっており、これがかのアーサー王と一二人の騎士たちが使った円卓といわれています。しかし、最近の鑑定によれば歴史上のアーサー王の生きた時代より七〇〇年も後の、エドワード一世の頃に作られたものと推定されています。

# 『トムは真夜中の庭で』

フィリッパ・ピアス

## 「時間」をテーマにした児童文学の傑作

『トムは真夜中の庭で』の作者フィリッパ・ピアスは、英国の児童文学界で最も高い評価を受けている作家の一人です。作家であり批評家でもあるJ・R・タウンゼンドは「第二次大戦後のイギリス児童文学の中から一作だけ傑作を挙げよといわれたら『トムは真夜中の庭で』を挙げる」と述べています。私もこれには全く同感です。

まずはこの作品のあらましを紹介してみましょう。弟ピーターがハシカにかかったため、トムは夏休みに親戚の家へ預けられます。夜中に目が冴えて眠れないトムは、一階下の大時計が一三の時を打つのを不思議に思い、裏口から外へ出てみると、昼間は殺風景だった裏庭は美しい庭園に変わっていました。それから毎夜のごとく庭を訪れるうちに、トムはハティという少女と友だちになります。不思議な体験を繰り返しながら、この庭に流れる「時間」は日常生活に流れる時間と次元を異にしていることに気づいたトムは、現在に生きる自分

Tom's Midnight Garden

Philippa Pearce

「階下の大時計が13の時を打つのを不思議に思い、裏口から外へ出てみると、昼間殺風景だった裏庭は美しい庭園に変わっていた」。薄暗いホールを通して見る光景は、トムの体験をそのまま写しとっている。

ホールの右手には、夜ごとトムが二階の部屋から降りてきた、踊り場つづきの階段がある。

が過去の人間、ハティの「時間」の中にどうして入り込めたのか、その理由を発見すれば、この庭の「時間」の中に永遠にとどまれるのではないかと考えます。

しかし、そのうちに庭はたのしいところではなくなってしまいます。ハティがずんずんと成長し、一人前の乙女になって、トムへの関心を失ってしまうからです。トムの滞在の最後の夜、裏口の向こうに庭がなくなったことを知ったトムは泣き出し、大声でハティの名を呼びます。家主のバーソロミュー夫人に謝りに行ったトムは、彼女こそがかつてのハティであったことに気づき、二人は固く抱き合います。年老いたバーソロミュー夫人は、トムが階下の部屋に滞在中、毎晩幼い頃の夢を見ていました。その彼女の夢の中に入り込み、二人は友だちになったのです。トムの現在とハティの過去とは、こうしてあの庭で出会ったのでした。

## 「トムの家」での出会い

現実には知り会うことのない少年トムとバーソロミュー老夫人が夢を媒介にして心を通わすこの物語は、私たちに深い感動と生きる喜びを与えてくれます。ある冬の夜遅く、床につく前にこの本を読み出した私は、明け方に読み終えた時には感動のあまり、あふれる涙をとどめることができませんでした。この緻密で芸術性の高い作品を書いたフィリッパ・ピアスという英国の作家はどんな

上／ケム川の水を引いてつくられた池。ホーレイ家が飼育するアヒルたちの遊泳場となっている。下／「トムの家」の裏口を庭園側から写した。木造の白いドア飾りやつるバラがアクセントになっている。

右／物語にも出てくる日時計。四方に光線を放ち、あごを雲に埋めた太陽が刻まれている。
左／トムが登った高い壁は上半分が煉瓦造りで、下半分はブロックで積み上げられている。

『トムは真夜中の庭で』の作者、フィリッパ・ピアスさん（自宅庭にて）。

人なのだろうと、あれこれ思い巡らせたものです。そしてある時、ケンブリッジ近くに著者が少女時代を過ごした「トムの家」のモデルとなった邸宅が実在するという話を聞き、機会を見つけてぜひそこを訪れてみたいと思ったのです。

今から四〇年前の英国留学の折、私はケンブリッジの隣駅グレートシェルフォード駅で下車し、キングズ・ミル・レインの奥にある「トムの家」を門の前から眺めておりました。突然肩を叩かれて振り返ると、小柄な老人が立っており、私に何の用かと尋ねます。私がここへ来た理由を話しますと、「妻が昔、クリスティ（ピアスの実名）の家のナースをしていたから、この家を訪ねたいなら連絡してあげよう」と言って、自分の家から電話をしてくれました。後になって分かったことですが、この老人の住む二軒続きのコティジのもう一軒の方には、ピアスさんと中学生の娘さんが住んでいたのです。しばらくして「トムの家」の玄関が開くと、年配の婦人がにこやかに「さあどうぞ、遠慮なくお好きなように中を見て下さい」と歓迎してくれました。この方が屋敷の持主のホーレイ夫人でした。夢を見ているような気持ちで玄関を入ったところにあるホールに通されると、その右手には、トムが夜ごと二階の部屋から降りてきた、あの階段があるではありませんか。トムと同様に裏口のドアを開けて外へ出ると、そこには物語に出てくるゴミゴミした裏庭ではなくて、ヒヤシンスやダリアの花の薫る美しい庭園が広がっていました。

庭園の北側には、トムがよじ登って遠くのケム川を眺めた、高い煉瓦塀がありました。その塀に沿って進みますと、物語に描写されている通りの、顔の下

トムとハティが物語の後半で登るイーリー大聖堂。西塔は高さ66m、そのてっぺんに出るまでに286の階段を登る。

半分を雲に埋めた太陽をかたどった日時計が見えます。その先にある木戸は、トムが自分の手や身体を貫いたあの木戸に違いありません。庭園や菜園の境界には、ゆるやかにケム川が流れており、その岸辺には何本もの大樹が生えております。川下の白いペンキ塗りの木造の建物は、昔、製粉工場だったところで、水車場跡が残っていました。

## 床下のスケート靴とピアスさんとの思い出

トムは真夜中の庭で
フィリッパ・ピアス（著）
高杉一郎（訳）／岩波少年文庫

夏休みに親戚の家に預けられて退屈していたトムは，真夜中に古時計が13時を打つのを聞いて不思議に思う。裏庭に出て行ったトムの目の前には、昼間はなかったはずの庭が広がっていた……。「時間」をテーマにしたカーネギー賞受賞の傑作。

ところで、この時の訪問で驚かされたことがあります。私を二階のある部屋に招き入れたホーレイ夫人が、造りつけの戸棚の中の床板の下を開けてみせ、ここで新聞紙に包まれた古いスケート靴を見つけたと言うのです。そうです、トムがハティに頼んでここにスケート靴を入れてもらい、それを取り出して履いたあのスケート靴です。すると、この話は架空のお話ではなくて本当にあったことなのでしょうか。それともホーレイ夫人がこの事実をピアスさんに聞かせて、それが物語に取り入れられたのでしょうか。

その後しばらくして、ホーレイさんが大学の海外研究者用に自宅の一部を提供していることを知り、二階の部屋に一晩泊めて頂く機会を得ました。その晩のこと、真夜中にこっそりと窓を開けて、大木に囲まれた「トムの庭」にしばらく見とれておりました。残念ながらトムのように庭園の「時」に入り込むことはできませんでしたが、神秘的なこの夜のことは生涯忘れられません。

その翌朝、ホーレイ夫人が「今朝、クリスティがあなたに会いに来ますよ」と言われた時の、私の驚きをご想像ください。お目にかかったピアスさんは、素朴で親しみやすく、初対面で緊張している私を和ませてくれました。一緒に庭園を巡りながら、ピアスさんはヴィクトリア時代にあった大きな花壇のこと、大伯母さんが描いた写生画のことなどを語ってくれました。その後、すぐ近くにある自宅のコティジに案内され、お茶までご馳走になりました。この時の「トムの家」での体験とピアスさんの優しいお姿は、今も私の心に強く刻みつけられています。

# ナルニア国物語シリーズ

## C・S・ルイス

### トールキンや文学仲間との出会い

C・S・ルイスは一八九八年、アイルランド、ベルファストの事務弁護士の家に生まれました。三歳年上の兄ウォーレンと比べて内向的な性格だったジャック（ルイスの愛称）は、小さい頃から、ビアトリクス・ポターの『りすのナトキンのおはなし』などのファンタジーや中世騎士道物語の世界に熱中していました。

一九一七年にはオクスフォード大学ユニバーシティコレッジに入学しますが、入学直後に一八歳で第一次大戦に従軍、戦傷を受けます。その後学校に戻ると、在学中にギリシャ・ラテン語、古典・哲学、英文学の三部門で首席の成績を収め、一九二三年にはオクスフォード学部学生で最も優れた論文を書いたことで最優秀賞を獲得しました。

ルイスが少年時代を過ごしたグレート・モルヴァンには、街のあちこちに古いガス燈が佇む。『ライオンと魔女』の冒頭では、ルーシィが雪の森で見かけた街燈のモデルとして使われた。

ナルニア国物語シリーズ

C・S・ルイス

一九二四年、ルイスはモードリン・コレッジの英文学のフェローに任命され、以後三〇年間、同コレッジで研究と教育に専念します。フェロー就任の二年後、J・R・R・トールキンと出会い、二人は以後深い友情関係を築くことになります。一九三三年頃、ルイスとトールキンが中心となって同僚、学友を集め、文学を語り合う「インクリングス」の会が誕生しました。トールキンの『指輪物語』もルイスの「ナルニア国物語」も、このインクリングスから生まれたのです。

ルイスは、それまで長い間無神論者の立場を通してきましたが、書物からの感化や仲間たちからの影響が相まって、キリスト教徒に回心することになります。一九三〇年代から四〇年代にかけては、ルイスにとって最も実りある時代でした。彼は宗教寓話『天路退行』（一九三三年）や中世文学研究書『愛とアレゴリー』（一九三六年）などを刊行し、中世文学研究者としてのゆるぎない地位を確立します。また神学的ＳＦ小説『沈黙の惑星を離れて』（一九三八年）等によって、学問の世界を超えて、一般読書界でも絶大な人気を博すことになります。一九五四年には、ルイスはケンブリッジ大学モードリン・コレッジの中世・ルネサンス英文学教授として迎えられました。

一九五〇年代になって、ルイスは数年前から書き進めてきた、児童のためのファンタジー小説「ナルニア国物語」を毎年クリスマスの時期に合わせて一巻ずつ刊行します。それは全七巻の物語で、幼い子らが毎日一章ずつ読むのに都合のよいように、一章の長さが均等に配分されていました。

上／オクスフォード郊外にあるルイスの邸宅の裏手には美しい池と緑の自然林が広がる。左／ルイスやトールキンを中心にした文学サークル「インクリングス」の会合が開かれたパブ「イーグル・アンド・チャイルド」。下／「ライオンと魔女」でアスランが磔にされた石舞台は、クオイトあるいはドルメンと呼ばれる先史時代の巨石墳墓を指す。写真はウェールズの奥地で発掘されたもの。

上／ルイスが７歳の時に訪れたダンルース城跡は、ナルニア国のケア・パラベル城のモデルといわれている。左／オクスフォード大学モードリン・コレッジの回廊に並ぶ動物たちの石像。『ライオンと魔女』で雪の女王の魔術によって石にされた動物たちを思わせる。

「ナルニア国物語」は世界中の子どもたちの人気を集め、たくさんのファンレターが彼のもとに届きます。そうした中に、離婚歴のある一七歳年下の米国人の詩人ジョイ・デヴィッドマン・グレシャムの手紙も含まれていました。これがきっかけとなって、ルイスは渡英してきたジョイとの交際を始めます。一九五六年、ルイスとジョイは結婚しますが、これはジョイと二人の子どもが英国国籍を得るための形式的なものでした。この後、突然ジョイは骨髄ガンに侵され、命が長くないことを医者に宣告されます。この時に至って、ルイスはジョイへの愛の深さを悟り、教え子の牧師の手を借りて、病室で本当の結婚を神に誓うのでした。その後、ジョイは奇蹟的にも生きながらえ、二人は四年間の幸福な結婚生活を送りますが、一九六〇年、ジョイは死去します。二人の愛の物語は、一九九三年の映画「シャドウランズ」（邦題「永遠（とわ）の愛に生きて」）で描かれています。

ジョイの死から三年後の一九六三年、ルイスも心筋梗塞で倒れ、六五歳で亡くなりました。遺体はルイスの邸宅キルンズに近い、セント・トリニティ・チャーチに埋葬されました。

## ガス燈の立ち並ぶ街

最後に「ナルニア国物語」のモデルとなった場所や舞台を紹介してみましょう。ルイスは七歳の時、母親に連れられて海辺の町カースル・ロックを避暑に

訪れました。その翌年に母親は病死したので、この旅行は彼にとって忘れられぬ体験となったことでしょう。この折、二人は近くの断崖絶壁上に築かれたダンルース城に立ち寄っています。「ナルニア国物語」の中で何度となく登場する「ケラ・パラベル城」は、このダンルースの廃城をモデルにしています。

『ライオンと魔女』では、田舎屋敷に疎開した四人きょうだいの末っ子ルーシィは衣装ダンスに隠れ、その奥にナルニアの世界を発見します。これはルイ

上／ベルファストのホリウッド・ロード図書館前には、異界に通じる衣装ダンスに手をかけるルイスの銅像がある。下／ルイスが埋葬されたオクスフォードのホーリィ・トリニティ教会の窓には、ナルニア国の場面が描かれている。

ライオンと魔女—
ナルニア国ものがたり

C・S・ルイス(著)
瀬田貞二(訳)/岩波少年文庫

第二次大戦中、田舎に疎開してきた4人の兄弟は、変わり者の教授が住む古い屋敷に預けられる。末っ子のルーシィが衣装だんすに潜り込むと、その奥には雪の降り積もる異世界「ナルニア国」が広がっていた。

ス家に古くから伝わる衣装ダンスから着想を得たと言われており、ルイスの故郷ベルファストのホリウッド通りにある図書館前には、ルイスと思われる男性が衣装ダンスの取っ手に手をかけている銅像が存在します。

物語の冒頭では、雪の降りつもる森の中にポツンと立つガス燈の描写が読者に不思議な印象を与えますが、このモデルは、ルイスが少年時代を過ごしたグレート・モルヴァンの目抜き通りで見つけることができます。この街を訪れると、駅のプラットフォームや教会の墓地にまで古いガス燈が立ち並んでいて、実に趣があります。

また『ライオンと魔女』では、エドマンドが魔女の誘惑に負けたため、アスランがその身代わりとなって石舞台の上で殺されますが、この石舞台はドルメンという先史時代の墓をモチーフにしていると思われます。ウェールズが大好きだったルイスは、この地方の各地に今も残るドルメンを、そのイメージにふさわしいものとして活用したに違いありません。

ルイスが長い間勤めたオクスフォード大学モードリン・コレッジ内にある回廊の外壁上には、動物や騎士などの石像が沢山並んでいます。第一巻で雪の女王の魔術によって石にされた動物たちが出てきますが、おそらくルイスは日頃見慣れたこの石像が頭にあったのではないでしょうか。

# 『不思議の国のアリス』

## ルイス・キャロル

### 身近な人々が動物の姿で登場

今から二〇年以上も前のことです。『不思議の国のアリス』の著者、ルイス・キャロルの死後一〇〇年を記念して、世界各地でさまざまな記念行事が催されました。私もこれにあやかって「アリス」の舞台探索を思い立ちました。実はそれまで、この奇想天外なナンセンス物語は作者の空想の産物であって、実際のモデルなど見つからないのではないかと考えていました。でもそれは全くの杞憂にすぎなかったのです。キャロルもやはり、モデルなしではお話を生みだせない英国人の典型でありました。

例えば第三章の「コーカス・レースと長いお話」を見てみましょう。アリスの「涙の池」からずぶぬれで陸にはいあがった鳥やけものたちは、いずれもキャロルの身近な人物がモデルになっています。あひるはキャロルの友人

上／キャロルが終生過ごしたクライスト・チャーチ校。左手は大聖堂。右手にはグレートホール（２階は大食堂）。下／キャロルが購入したギルフォードのチェスナッツ邸は今は別人の所有となっているが、その門柱にはテニエルの挿絵入りの記念碑が残る。

２階の食堂入口におかれた暖炉のファイアー・ドッグ（薪乗せ台）。尼僧の飾りから、アリスの首が伸びるエピソードが生まれた。

ダック（あひる）ス氏ですし、ローリー（オーストラリア産のオウム）はアリスの姉ロリーナ、鷲の子（イーグレット）は妹のイーデスです。不格好なドゥドゥ鳥は、キャロルその人がモデルでした。キャロルの本名はチャールズ・ドジソンで、それを英国流に発音すればドゥディソン、つまりドゥドゥに似ています。ドゥドゥ鳥はかつてモーリシャス島に繁殖していましたが、羽があっても飛べないため、島人に捕らえられて絶滅してしまいました。オクスフォード大学の自然史博物館には、ドゥドゥの絵や本物の頭蓋骨、足の標本などが展示されています。

こうした鳥たちに囲まれて、もったいぶって語っているねずみはアリス・リデルの家庭教師、ミス・プリケットがモデルです。キャロルは大好きなアリスに会うため、しげしげと彼女の家、ディーナリー（学寮長館）を訪問していました。そのため、彼の本当のお目当てはプリケットさんに違いないと噂されたのですが、それを耳にしたキャロルは日記に「まさか！」と書いています。プリケットさんは郊外のビンズイ村出身で、村のセント・メアリー教会にはプリケット家の墓がいくつも存在しています。

そのセント・メアリー教会の裏手には「ビンズイのトリクル・ウェル」とよばれる、病気や怪我を癒す聖なる井戸跡が残っています。キャロルは、このトリクル・ウェルを「マッド・パーティ」の章に取り入れて、やまねにこう語らせています。「『むかし、むかし、三人の小さな姉妹がおりました』とやまねはせきこんで語り始めました。『姉妹の名前はエルシー、レーシー、ティリー

ギルフォードのカースル・ヒル公園には、「鏡の国」へ入り込もうとするアリスの銅像が建つ。

（それぞれアリス、姉のロリーナ、妹のイーデスを指す）でした。姉妹は井戸の底に住んでいました』」（『不思議の国のアリス』石川澄子訳、東京図書）

「マッド・パーティ」といえば、このお茶会で登場する帽子屋（ハッター）は、当時オクスフォードで家具製造業を営んでいたセオフィラス・カータがモデルです。彼は一九〇四年に亡くなり、ホリウェル墓地に埋葬されました。

ところで、『不思議の国のアリス』には鷲の頭と羽をもち、脚は獅子の形をしたグリフォンという伝説上の怪獣がよく出てきます。キャロルの少年時代、父親が牧師を務めたダーズベリー村の教会には古い木造の説教壇が残っており、その側面にはグリフォンが彫刻されていました。おそらく、キャロルはこのグリフォンを眺めながら父親の説教を聞いたに違いありません。オクスフォードに行きますと、トリニティ・コレッジの正門に飾られた紋章にも、このグリフォンが刻まれていることに気がつきます。

## いまにもチェシャ猫が顔を出しそうな老樹

さて、ルイス・キャロルが三〇年以上も数学教師として住み込んでいた、クライスト・チャーチ・コレッジにも「アリス」の物語にゆかりのあるものがいくつも残されています。

例えば、一八世紀に造られたニューライブラリーの二階には、キャロルが使っていた副図書館長室があります。その部屋の窓からは、アリス・リデルの一

家が住んでいたディーナリーと庭を一〇〇年以上前と変わらぬ姿で望めます。この庭の片隅には、大きな枝を伸ばしたホース・チェスナットの老樹も残っています。かつてアリス・リデルの飼い猫ダイアナがこの枝に好んで登ったことから、物語の中にチェシャー猫として取り入れられ、ジョン・テニエルの挿絵ではニヤニヤ猫として描かれました。それ以来、すでに百余年も経っているにもかかわらず、この老樹は支柱に支えられて何とか寿命を保っています。また

he WAS born At
DAResbury PARSONAG
JAN, 27, 1832, AND die
At GUILDFORD, JAN. 14, 18

1932年、ルイス・キャロル生誕百周年を記念して、ダーズベリの教会にはテニエルの挿絵のステンドグラスが飾られた。

アリスの父リデルはサンディッドノウに別荘を建てた。現在は「ゴーガス・アビィ・ホテル」となっている。

右／オクスフォードのクライスト・チャーチ学寮長館の庭園には、100年前の老樹が今も健在。テニエルはこの木をモデルにチェシャー猫の場面を描いた。左／ビンズイのセント・メアリー教会には「マッド・パーティ」に登場するトリクル・ウェルの跡が残っている。

Alice in Wonderland

Lewis Carroll

不思議の国のアリス

ルイス・キャロル（著）

脇明子（訳）／岩波少年文庫

ある昼下がり、チョッキを着た白ウサギを追いかけてアリスが穴に飛びこむと、そこには奇妙で不思議な世界が広がっていた。オックスフォードの数学者が創り出した、ユーモアと言葉遊びに満ちたイギリス児童文学の古典。

大聖堂に通じる壁には、アーチ形の緑のドアがありますが、これは『鏡の国のアリス』の「女王アリス」の章に出てくるアーチ形のドアのモチーフといわれます。

大聖堂境内には、前述のトリクル・ウェルで病人や障害者を介抱するオクスフォードの守護聖人、聖フライズドワイドの姿がステンドグラスに現わされています。またその傍らには、十九歳で亡くなったアリスの妹イーデスをモデルにした、聖キャサリン像のステンドグラスも見ることができます。

さらに、グレートホールの食堂入口にある鉄製の暖炉のファイアー・ドッグ（薪乗せ台）には首の長い尼僧の飾りがついています。くすりを飲んで首が長く伸びてしまったアリスは、ここから連想されたものではないかと伝えられています。

以上、ルイスが語ったお話に出てくる事物のモデルを紹介してみました。そのいずれもがアリス姉妹とかかわり合いのあるものばかりで、そこがアリスたちを喜ばせ、後に『不思議の国のアリス』を生みだすきっかけとなりました。

ところで、皆さんがアリスの物語を実体験したいとお思いでしたら、是非オクスフォードのアイシス川の岸辺から運行されている遊覧船に乗って、アリスたちが向かったゴッドストウ近くまで船の旅をなさることをお勧めします。私自身この旅を試みて、オクスフォードがベニスのような水の都であり、楽しい別天地であることを実感しました。私が訪れた折には、川べりではたくさんの若者たちが、夏の暑さをしのいでいました。

# 『思い出のマーニー』

ジョーン・G・ロビンソン

## 孤独な少女が世界を受け入れるまで

『思い出のマーニー』は英国ノーフォーク地方の海沿いの村バーナム・オーバリー（作品ではリトル・オーバートン）を舞台にした物語です。この本は、日本の読者からも深い共感をもって迎えられ、二〇一四年には舞台を北海道に移してアニメ映画が製作されました。

作品の主人公アンナは両親と祖母に死に別れ、プレストン夫妻に引き取られた孤児です。彼女は全てのことに執着しない無感動な子として登場します。リトル・オーバートンに転地したアンナは、そこでマーニーという少女と知り会い、心の秘密を打ち明け合う親友になります。ある嵐の夜、アンナはマーニーにとらわれるがゆえに、風車小屋に赴き、そこでマーニーに裏切られたと感じた時に、激しい感情を爆発させます。しかし、それがきっかけでアンナは風雨の中「しめっ地やしき」に向かい、マーニーと和解し、自分の心を癒すことができるのです。アンナの強烈な心的エネルギーの噴出は、彼女を危うく死の世

バーナム・オーバリーの舟つき場。訪れた時は干潮の時間帯で、乾いた地面にはボートが転がっていた。

界にまで導いてしまいます。しかし、死の一歩手前まで行ったアンナは周囲の人々の助けによって回復し、子どもらしい子に生まれ変わることができるのでした。

## 「リトル・オーバートン」そのものの海辺の町

今から二〇年も前のことです。この本に感銘を受けた私は、是非ともバーナム・オーバリーを訪ねたいと思いました。村に着きますと、アンナが滞在した低い二階建てのコテージばかりか、ミス・マンダースの郵便局、村はずれの風車小屋などがあり、まさにここが本に描かれている「リトル・オーバートン」そのものであることに気づきました。さらに舟つき場に行くと、ちょうど干潮で、目の前には浅瀬の川のように流れるクリーク（入江）と、その前方には一面に草の茂ったしめっ地が広がっています。

物語の核となる「しめっ地やしき」と思われる建物も発見しました。そこはボート小屋の先に行ったところにある細長い三階建ての、窓のたくさんある邸宅でした。二〇年以上前にはホテルだったそうですが、現在は縦割りに六つに分割されたアパートに変わっています。この建物は、通りに面した正面はれんが塀で囲まれていて、車の出入りも可能な玄関口がありますが、裏手はクリークに面していて入口はありません。しかし、クリークに接するれんが造りの仕切りには階段がついていて、満潮時にはここからボートでの出入りが可能なの

上／筆者が「しめっ地やしき」ではないかと考える建物の裏手口。満潮時には石の階段を伝ってボートで出入りが可能になる。
下／物語の挿絵そのままに、村のはずれに今も残る風車。現在はナショナル・トラストが管理している。

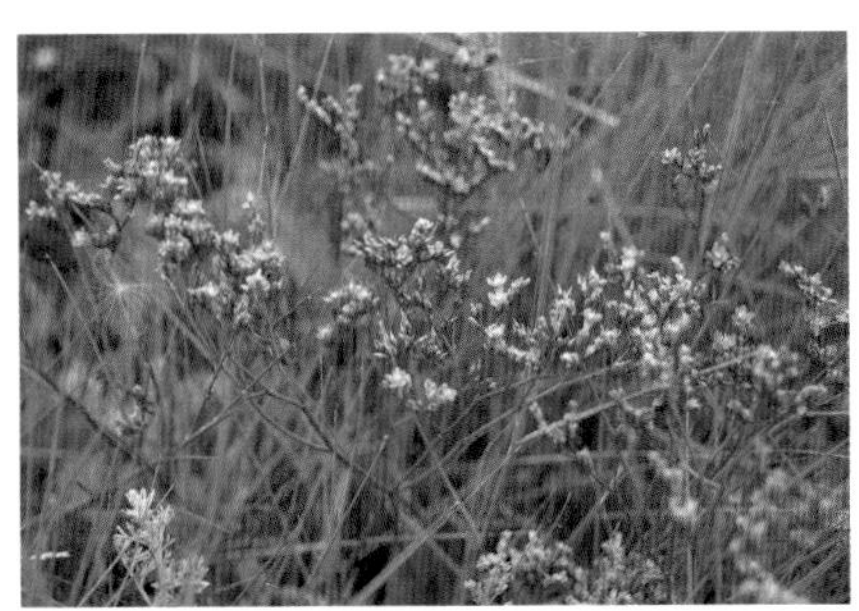

上／満潮になると岸辺ぎりぎりまで海が迫る。クリークもしめっ地も海中に没し、漁船やヨットが一斉に活動を始める。左／夏になると水辺にはピンク色のシー・ラベンダーの花が咲き乱れる。

です。

アンナは干潮の時はクリークを渡って、しめっ地やしきの前面に見える高台に辿りつき、そこでしめっ地やしきを眺めていたに違いありません。そしてあのパーティーの夜、満潮の時にボートに乗って、階段口でマーニーに助けられてやしきに入ったのでしょう。

その日、村の民宿に泊まった私は、翌朝再び舟つき場を訪れました。驚いたことに前日の干潮時の光景は一変し、クリークもしめっ地も海面に没し、見渡す限り広い海原となっています。そして、地面に転がっていたボートや帆船が起き上がり、活発に活動を開始していたのでした。その後、私は地元の漁師に頼んでボートに乗せてもらい、しめっ地やしきのすぐ前面まで行ってみました。ボートの中から水底を覗くと、しめっ地に生えている草が海藻のようにゆらゆらゆれていました。


ロンドンに帰る間際、私は民宿のスミス夫人から、思いがけない話を伺いました。機会があればお会いしたいと思った作者ロビンソンさんは、既に一〇年前に亡くなっていたのです。スミス夫人によれば、昔ロビンソンさんはキャンピングカーを持っていて、二人の娘さんとこの地で一夏過ごすのが習慣だったそうです。次女のスザンナは養女で、アンナとよく似た境遇だったようです。

ロビンソンさんは両親共に法廷弁護士という上流階級の家庭で育ちましたが、自身は七つの学校に行きながら、いずれも試験にパスせず、卒業することがで

上／満潮時、後方には海原が広がっている。
下／同じ場所を干潮時に撮影したもの。海だった部分は一面緑のしめっ地に変貌している。

きませんでした。これは私の想像ですが、おそらくロビンソンさん自身、普通の子どもとは違った子だったのではないでしょうか。だからこそ彼女はスザンナを温かい目で育てることができたのでしょう。そして弱者に思いを寄せた、『思い出のマーニー』のような作品を生みだすことができたのではないでしょうか。

## 「しめっ地やしき」のモデル

もう一つ、付け加えたいエピソードがあります。最近になってこの本の特装版が発刊されたのですが、その末尾に、作者に代わって長女のデボラ・シェパ

When Marnie Was There

Joan G. Robinson

思い出のマーニー

ジョーン・G・ロビンソン（著）

松野正子（訳）／岩波少年文庫

心を閉ざした少女アンナが、海辺の村に住む不思議な少女マーニーとの交流を通じて、次第に心を開いていく。初めての親友を得たアンナだったが、彼女の姿は他の誰にも見えないのだった。

ードさんが、作品誕生のいきさつを「作者のあとがきにかえて」の中で書き記しています。デボラさんは、しめっ地やしきのモデルは、赤れんがの壁に青色のドアと窓枠のついたグラナリー（穀物倉庫）と呼ばれたお屋敷であると説明しています。私はこの事実を否定するつもりはありませんが、もしそうだとしたなら、いくつかの矛盾点が残るのではないかと思います。

例えば嵐の日、アンナがクリークに面したしめっ地やしきを訪れ、水の中で窓辺のマーニーと話し合っているうちに潮が満ちてきて、危うく溺れかけてしまいます。しかし、やしきの前には小道のついた土手があるはずなのに、どうしてアンナはその場所で話さずにわざわざ水の中でやり取りをしたのか、理解できません。また、アンナがパーティーの夜、やしきまでボートに乗って行ったことも不自然です。このグラナリーの前には土手があって、ボートを付けられる階段のようなものは存在していないのです。もうひとつ、グラナリーには表口の玄関がありません。従って、アンナがしめっ地やしきの表口と裏口がつながっていることに気づく話も、このグラナリーではなく、私が発見した建物のことと考える方がつじつまが合います。

結局、しめっ地やしきは、グラナリー屋敷と、私がしめっ地やしきと考えた元ホテルの建物を合成して創り出されたものと考えるのが妥当かもしれません。作者がこの世にいなくなった今、私の疑問は謎のまま残されましたが、あの日訪れたマラーム草の茂る砂丘や、帰り途に摘んだシー・ラベンダーの鮮やかな色は、今も私の目に焼き付いています。

# 『時の旅人』

アリソン・アトリー

## 悲劇のスコットランド女王をめぐる
## タイム・ファンタジー

英国の北東部に位置するダービーシャーは、平坦なイングランドの中では山岳や渓谷の多い景勝の地として名高いところです。またこの周辺には、かつてスコットランドの女王メアリー・スチュアートが一八年間も幽閉されていた城やマナーハウスが存在する、史蹟に富む地域として知られています。

児童文学作家アリソン・アトリーは、このメアリー女王の歴史的事件の起こったウィングフィールド・マナーにほど近い、クロムフォード村に生まれ育ちました。そして、一九三九年に、事件から着想を得たタイム・ファンタジー小説『時の旅人』を創作しました。

この物語は、ロンドンに住む病弱で夢見がちな少女ペネロピーが、大伯母の

上／ウィングフィールド・マナーの塔上からの眺め。中央にはダンス好きだった女王が踊ったと思われる大広間が見える。下／石塀が巡らされた古いアーチ形の正門跡に佇むと、ペネロピーとメアリー女王の出会いが本当にあったことのように感じられる。

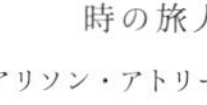

## 時の旅人

アリソン・アトリー

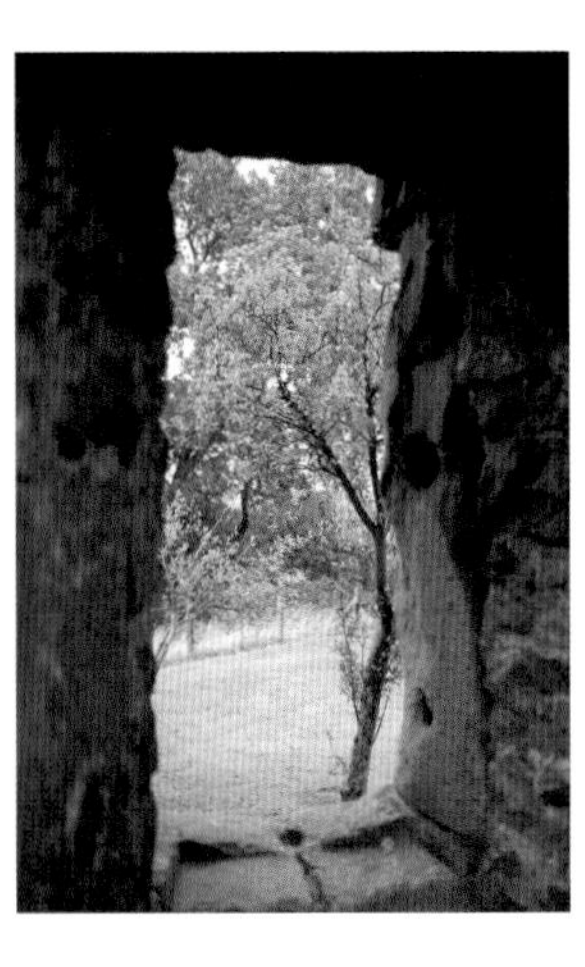

住むサッカーズ農園に療養のため送られるところから始まります。その地は今より三〇〇年前、メアリー女王を救出しようとして処刑されたアンソニー・バビントンの屋敷の一部だったところです。ペネロピーは、そこで過ごすうちに時空を超えて一六世紀に入り込み、バビントンに仕える先祖のシスリー・タバナーや、バビントンの弟フランシスと仲良しになります。彼女は三〇〇年前の時代で長い間過ごしたように感じるのですが、現実の世界に戻ってみると、それはほんの一瞬のことに過ぎません。

　メアリー女王がウィングフィールド・マナーに移されることが決まったとき、アンソニーはエリザベス女王を殺害し、メアリーを救出する計画を立てます。実はバビントン屋敷とウィングフィールド・マナーの間には秘密のトンネルが通じていて、これを利用して、メアリーを救出しようというのです。

　ペネロピーは、メアリー女王がすでに処刑されていることを歴史として知っているのですが、その未来を変えてでも女王を救い出そうとします。あるときペネロピーは、ウィングフィールドの大きなアーチ形の門前で、馬上のメアリー女王に花束を差し出します。警護の兵士に遮られるものの、女王はペネロピーに静かに微笑みかけるのでした。アンソニーらの努力空しく、最後に秘密のトンネルは発見され、メアリー女王は沼地に立つタットベリー城に移されます。アンソニーは弟フランシスに全財産を譲り、フランスに逃れるところで物語は終わります。

右／中庭に残るくるみの老樹は、かつてバビントン卿のポケットからくるみが落ちて生育したものと伝えられる。中／ペネロピーが嘆き悲しむメアリー女王を見かけた窓辺。窓の外には果樹園が広がる。左／メアリー女王の居室（チェンバー）にしつらえた暖炉。

## 歴史と想像力の交差する廃墟

この『時の旅人』は、フィクションではありますが、メアリー女王にまつわる大筋のところは歴史的事実とみて間違いありません。かつて私は、ウィングフィールド・マナーとその近くにあるバビントン屋敷を訪ねました。ウィングフィールド・マナーはメアリー女王の監視役を命ぜられたシリューズベリ伯爵の領地だったところで、丘の上に立つ建物は、巨大な石造りの城塞とも言うべきものでした。現在は屋根の崩れ落ちた廃墟となり、英国文化遺産庁が管理しています。

建物の北の奥まったところにあるチェンバー（小部屋）は、メアリーの居室でした。ここの窓から外を覗くと果樹園が見え、ペネロピーが窓辺で嘆く女王の姿を見かけたという描写にぴったりと一致します。そこから廊下を伝わった先にあるグレート・ホールは、ダンス好きの女王が廷臣たちと踊ったところではないでしょうか。中庭に出てみると、そこには支柱に支えられたクルミの老樹がありました。これこそ物語の中で、バビントンのポケットから落ちたクルミが育った、あの樹です。さらに庭の小道を辿って西端に行きますと、三〇〇年前と変わらぬアーチ形の正門が現れました。その瞬間、私の目には馬上からペネロピーに優しく微笑むメアリー女王の姿が見えたような気がしました。それほどまでにこの舞台が、物語の世界なのか現実なのか、区別がつかないほど真に迫っていたのです。

バビントン屋敷はのちに三分割され、そのうちのマナー農場はかつて料理場があった場所。大きな暖炉と煙突がそのまま残っている。

建物の内側から見た暖炉。

## バビントン屋敷の秘密の通路

その後、四、五キロ離れたバビントン屋敷へと赴きました。かつての大きなバビントンの地所は今では三つの農場に分割され、そのうちの「マナー農場」の前には処刑されたアンソニー・バビントンのモニュメントが建っています。農場の建物のいくつかは、かつてのバビントン屋敷の石材を再利用したもので、古めかしい造りが歴史を感じさせます。農場の母屋の外からは大きな暖炉とおぼしき部分が見え、その上には高い煙突がそびえていることから、ここはかつて料理場だったところと思われました。ぜひとも屋敷の内からその暖炉を見たいと思いましたが、中に入るきっかけがありません。ふと入口を見ると「ラズベリー五ポンド」の看板が見えたので、それを口実に屋敷に入り込み、ご主人のグルームさんと言葉を交わすことができました。そしてマナー農場が二階の三室（その一室は、物語のペネロピーの部屋だったに違いありません）を民宿用の部屋として貸し出していることを知り、別の機会にそのペネロピーの部屋に泊めてもらうことができました。

それから何年も経ってから、『時の旅人』の愛読者仲間を連れて、バビントン屋敷を訪問した時のことです。代替りしてこの屋敷を引き継いだグルームさんの息子さんが、参加者に一通りの説明を終えた後、「さあ、それでは秘密のトンネルをご案内しましょう」と言うのです。屋敷の前に建つ小屋に入っていった息子さんが入口の床板をめくると、そこには地下道に続く石の階段が現れ

上／マナー農場の全景。屋敷の外には刑死したバビントン卿の碑が建っている。左／農場の前にある小屋の下には、メアリー女王の救出を図って掘られたというトンネルの跡が残っている。下／メアリー女王の劇的な人生の舞台となった、エジンバラのホリールード宮殿。今でもエリザベス女王の夏季滞在先として利用されている。

A Traveller in Time

Alison Uttley

時の旅人

アリソン・アトリー（著）

松野正子（訳）／岩波少年文庫

病気がちな少女ペネロピーは、昔の貴族のお屋敷だった親戚の農園に預けられる。ある日ペネロピーは16世紀の世界に迷い込み、そこから王位継承権をめぐる歴史上の大事件にまきこまれてゆく。

ました。息子さんによれば、この地下道の由来について三つの説があるそうです。一つは屋敷のワインセラーだったという説。二つ目はかつてのカトリック信者の秘密の会合場所という説。最後はメアリー女王を助け出そうとしたトンネルだったという説。そのいずれが本当か、今もって不明だそうです。アリソン・アトリーも英国の他の作家同様、「事実」に執着する作家であることを、この時私はつくづく思い知らされたのでした。

メアリー女王のエフィジイ（寝像）。スコットランド国立博物館にあるレプリカ。

# 『ドリトル先生航海記』

ヒュー・ロフティング

## 戦時中の日本に紹介された貴重な英米児童文学

ヒュー・ロフティング作、井伏鱒二訳『ドリトル先生航海記』は、少年時代の私の目を開かせてくれたかけがえのない作品です。

今から八〇年前、私が小学三年生のとき、この物語が雑誌「少年倶楽部」に「ドリトル先生船の旅」の題名で毎月掲載されました。太平洋戦争勃発前後ということで、国内には米英排撃の空気に満ち満ちており、米国や英国の本の出版は厳しく統制されていた時代でしたから、児童読み物とはいえ、よくぞ二年もの間連載が許されたものです。それがいかに異例なものであったかは「ドリトル先生物語」の誕生のいきさつを知れば一層良くわかります。

一九一四年、第一次大戦が開始されると、ロフティングはアイルランド軍の

上／夕方のブリストル港。スタビンズ少年が石垣に腰を下ろし、出航する船を眺めていたのはこんな場所だったかもしれない。左／著者のロフティングが学んだ、イングランド北部にあるカトリック系私立学校のマウント・セント・メアリー・カレッジ。

将校として西部戦線に召集されます。戦線では砲弾で傷ついた軍馬は直ちに射殺されてしまいます。人間だったら、手当を受けて生きのびられたろうに。このやり方に憤りを感じたロフティングは、馬語を話し、十分な手当てができる医者がいたならば、馬も幸せだったろうという想いから「ドリトル先生」の物語を着想し、その物語は手紙となって米国の二人の子どもたちに送られました。このことから分かるように「ドリトル先生物語」は、戦争の非合理を憎み、平和を愛するヒューマニズムの書であった訳です。

このような内容の作品が、鬼畜米英を唱える軍国主義の日本で、よくぞ二年もの間、堂々とまかり通ったものと感心します。それはまさに奇蹟としか言いようのない事実でした。この作品が日本で刊行されるにあたっては、石井桃子さんの献身的な努力を見逃すことはできません。当時編集者であった石井さんは「世界の情勢がただならぬ時に、この本を日本語にして日本の子どもにと思いつめた」と後に語っています。そして彼女は原書を下訳し、作家井伏鱒二の翻訳を実現したといわれております。

当時、田舎の小学生だった私は、「ドリトル先生」に出会い、この世にこんなに不思議で楽しい物語があろうかと狂喜して読みふけったものでした。その頃、町にうろつく野良犬を見つけてよく石をぶつけたりしていじめたものですが、それ以来きっぱり止めました。犬も言葉をもっていて、人格ならぬ犬格があるんだから失礼だ、と子どもながらに反省したのですね。「ドリトル先生」を繰り返し読むうちに「ドリトル先生の世界では人間と動物が話し合って心を

右／現在のブリストル港は貿易港としての役目を終え、立ち並ぶクレーンは使われることはない。左／百年前のブリストル港の様子。港湾内は大型帆船で賑わっていた。

通わせるのに、どうして日本人は敵国米英人と話し合って仲直りできないのだろう」とぼんやりながら考えたものです。でも、これは誰にも話してはいけない危険な考えだと子どもながらに判っていましたから、それ以上は思考停止をしました。

戦後、大学生になったときです。その頃岩波書店で刊行された『ドリトル先生航海記』を一読して驚きました。その内容が、きのう読んだばかりのように頭に全部入っているではありませんか。このとき以来、児童文学書は私にとって生涯欠かせぬ友となりました。

## 貿易港として栄えたブリストルの今

のちに『ドリトル先生航海記』の舞台を探そうと思い立った時、ドリトル先生の故郷は「沼のほとりのパドルビー」という架空の町であること以外何も分かりませんでした。すっかり諦めていたところ、かつてこの本の愛読者であり、今は著名な生物学者である福岡伸一先生が、本の中に出てくる二つの町名をキーワードとしてドリトル先生の故郷はブリストルと断定され、その地を訪ねて写真入りの紀行文を発表されました（雑誌「考える人」《特集・福岡伸一先生と歩くドリトル先生のイギリス》季刊誌二〇一〇年秋号、新潮社）

私はこれを読んで「しまった！」と思いました。なぜなら、私は四〇年前、ブリストル大学に半年ばかり滞在し、この地を熟知していたからです。確かに

上／かつてのブリストルは、街の至るところに港湾が入り込む特異な街だった。現在そこには遊覧船がひしめいている。下／ペンザンスにある「ベンボー提督」という名の古いパブ（左ページ文中のブリストルのパブとは別の店）。ベンボー提督はスペイン船の略奪で名を揚げた英雄的海賊。

The Voyages of Dr Dolittle
Hugh Lofting

## ドリトル先生航海記

ヒュー・ロフティング（著）
井伏鱒二（訳）／岩波少年文庫

動物の言葉を話せるお医者さん、ドリトル先生が海の上をさまようクモザル島を目指して、トミー少年や動物たちとともに大冒険を繰り広げる。ドリトル先生シリーズの第二作に当たる。

ブリストルには福岡先生がグーグルアースで発見された、フローティング・ハーバーと呼ぶエイボン川を掘削して造成した人工の大規模な港が存在します。ブリストル港はかつて黒人奴隷貿易や西インド貿易などで繁栄を極めましたが、最近では大型コンテナ船の普及により貿易港湾としての役割を終え、一九七五年には商業船対応は完全に停止していました。ちょうどこの時期、私はブリストルに滞在していたものですから、港は荒廃し、見るべきものといえば、港近くに残る、ルイス・スティーブンソン作『宝島』の「ベンボー提督亭」のモデルになったパブがあるくらいだったのです。そのようなわけでブリストル港を訪ねることは滅多になく、ドリトル先生と結びつけてこの港湾を思い出す機会は失われてしまいました。

今回、久し振りにブリストルを訪ねて、福岡伸一先生にならい、『ドリトル先生航海記』の挿絵でスタビンズ少年が港の石垣に腰をおろして出航していく船を眺めていた場所も訪れました。

しかし、何よりも驚かされたのは、荒廃していたハーバーサイド地域は一新されて、かつての倉庫群は観光客の集うレストラン、パブ、ショッピング街になっていたことです。また港湾には荷物運搬船に代わって、遊覧フェリーがひんぱんに往来しています。港の一角には、世界最初の鋼鉄蒸気船グレート・ブリテン号が展示され、その近くには産業博物館も建設されていました。港の北岸には、新しい瀟洒なアパート群が林立しています。ドリトル先生が暮らした港湾都市ブリストルは、新しい観光都市に模様替えされていたのです。

# 『グリーン・ノウの子どもたち』

ルーシー・M・ボストン

## ノルマン時代の歴史あるマナーハウス

「グリーン・ノウ物語」の作者ルーシー・ボストンは、一八九二年ランカスター地方のサウスポートで生まれました。彼女は画家として、イタリア、オーストリアで過ごした後にケンブリッジに移り、そこでかねて目をつけていたヘミングフォード・グレイにある古いマナーハウスを購入します。その家は一一二〇年に建てられたノルマン風の領主の館でした。ルーシーは、九世紀の間にこの館につけ加えられた最良の部分を掘り起こして改築を重ね、昔らしい姿に復元しました。

この古い伝統ある館に強い誇りと愛着をもったルーシーは、館に対する愛をうたいあげるために「グリーン・ノウ物語」を書くことを決意します。その時彼女は六二歳に達していました。このシリーズは『グリーン・ノウの子どもたち』（一九五四）から『グリーン・ノウの石』（一九七六）までの全六巻ですが、その全ての核となるのがグリーン・ノウの館であることは疑う余地があり

The Children of Green Knowe

Lucy M. Boston

上／12世紀に建てられたノルマン風の館は、ルーシー・ボストンによって復元され、「グリーン・ノウ物語」の舞台として新たな命を吹き込まれた。左／雪の積もる日、トーリーは傘を広げたようなイチイの枝の下で幻の子どもたちと出会う。

ません。

かつて、雑誌「子どもの館」（福音館）に海外作家のインタービュウ記事が連載されたことがありました。その聞き手のE・フィッシャーがルーシー・ボストンと会見するためにグリーン・ノウに到着した際、ルーシーに対して「これから物語のグリーン・ノウの世界へ行くんだと思ってしまったのですよ」と話すと、ルーシーは即座に「そのとおりです」と答えています。

実際にこの館を訪れてみると、館そのものを始め、作中に描かれた物語の世界がそのまま実在していて、いったいどちらが先にあったのか見分けがつかないほどです。庭園には、小さくて少しも恐くないグリーン・ノア（呪われたイチイの木。現在は存在していません）、イチイの木を刈り込んで作った鹿（グリーン・デア）、雪の積もる日、まぼろしの子どもたちと小動物たちの集いの場所を提供してくれたイチイの大樹などがありました。あるいは『グリーン・ノウのお客様』の中でゴリラのハンノーが身を隠す茂みは、そこに小さな竹藪として存在しています。

館の内部も、庭園に劣らずグリーン・ノウの物語に同化しているといっても言い過ぎではありません。物語の中に出てくるるネズミの木彫り、鳥の巣、アレクサンダーのフルート、ゆり木馬、柳の枝で編んだ鳥籠など、どれも館内に再現されています。かくして、E・フィッシャーならずとも、このグリーン・ノウに辿りついた全ての人たちは、そこに足を踏み入れた瞬間から物語の世界に入り込んでしまうのです。

右／グリーン・ノウ館の３階のトーリーの部屋には、ゆり木馬、鳥籠、木彫りのねずみなどがそろっている。中／赤いおもちゃ箱には、作中に出てくるフルート、サーベル、木の人形などがぎっしり。左／１階のティールーム。ボストン夫人お手製のキルティングのカーテンが愛らしい。

## ボストン夫人に案内された庭園

一九七九年、私はセント・アイブスの町からグレートウーズ川に沿って広がる草原のフットパスを辿って、水郷の村へミングフォード・グレイに着きました。川岸からグリーン・ノウ館の庭園を眺めますと、そこにはチェスの駒を形どったいくつものトピアリーが飾られ、その先には煉瓦造りの館の三角屋根が見えます。その時、庭園の除草をしていた青年が、私に何の用かと尋ねますので、グリーン・ノウ物語のマナーハウスを見に来たことを話しました。するとこの青年は私にしばらく待つように言うと、館の方へ向かいました。しばらくすると、大柄の老婦人が手を振りながら「カモン！カモン！」と叫びつつ走ってきます。これがボストン夫人との初めての出会いでした。私は英国の著名な作家と約束もなしに会えるとは考えてもいなかったので、彼女の飾り気のない態度には心を打たれました。

「今、来客中なので、どうぞ自由に二階、三階の部屋を見て下さい。あなたは本を読んでいて何でもご存知だろうから」と夫人が言うので、私は勝手に、古い蓄音機の置いてある二階の音楽室、ついで急な階段をあがった三階の三角部屋と見て回りました。三角部屋はトーリーの部屋ということなのでしょう、小さい子ども用のベッドに、ビクトリア時代のゆり木馬などがありました。おもちゃ箱には、組み立て式のフルート、サーベル、木の人形、ロシアの入れ子人形などが入っています。それから天井から下げられた鳥籠はちゃんと扉が開

上／12世紀建造の厚い石壁に囲まれた2階の音楽室には、古色蒼然とした蓄音機がしつらえられている。下／ヘミングフォード・グレイは水郷地帯として知られ、古い萱ぶきの家が目につく。

The Children of Green Knowe

Lucy M. Boston

グリーン・ノウの子どもたち

ルーシー・M・ボストン（著）

亀井俊介（訳）／評論社

寄宿舎で暮らすトーリー少年は、冬休みをひいおばあさんの住むグリーン・ノウの館で過ごすことになる。トーリーを迎えてくれたのは、その古い屋敷で300年前に生きていた子供たちだった。

いていました。これらの小道具の一つ、一つに触れ、感触を味わっているうちに、私もグリーン・ノウ物語の世界と一体となっていました。

お客が帰られた後、ボストン夫人は私を庭園に誘ってくれました。さまざまな夏の花の咲き乱れる庭園、館の裏手にある緑の鹿のトピアリー、エリザベス女王の戴冠式記念に造られたチェスの駒を形どったトピアリーなどを眺めつつ、その合間には、いろいろなお話をしてくださいました。この時ボストン夫人の年齢は八七歳、とてもお元気そうに見えたのを覚えています。翌年、機会あって再度お目にかかることができましたが、その後、九七歳の高齢で亡くなられ、隣村ヘミングフォード・アボットのセント・マーガレット教会に埋葬されました。

上／グリーン・ノウの館の前にはグレートウーズ川が静かに流れる。彼方には教会の塔が見える。下／隣町のセント・アイブスの博物館には、第６巻『グリーン・ノウの石』のモデル、石の腰かけが飾られている。

# 『ピーター・パンとウェンディ』

J・M・バリー

## 大人になることへの不安から生まれた「永遠の少年」

ジェームズ・マシュー・バリーは、一八六〇年、スコットランド中東部のキリミュア町で機織職人の息子として生まれました。六歳の時、一三歳だった次兄ディヴィッドがアイススケートの転倒事故で死亡します。ディヴィッドは成績優秀で、兄弟の中でも将来を嘱望されていただけに母のショックは大きく、終生娘の看護を受ける身となりました。幼いジェームズはそれ以来、亡兄の姿に扮して、母を慰めようと試みたそうですが、後年の劇作家バリーによって生み出された「いつまでも少年のままでいる」という想念は、この時から始まったといわれています。

しかし、バリー自身も別の意味で大人になりきれなかった人間でした。彼は長じてエジンバラ大学に入学しますが、身長は五フィート（約１５２㎝）そこ

ケンジントン公園に建つピーター・パンの銅像。バリーは子どもたちを驚かそうと、夜中のうちに密かに銅像を建立した。

そこで、痩せていて、痛々しいほど内気で神経質でした。当時の彼のノートには、大人になることへの不安がびっしり書き込まれていたそうです。

ノッティンガムでの記者生活の後、ロンドンに移ったバリーは、三〇歳代初めには作家としての道を歩み始めます。一八九四年、女優メアリ・アンセルと結婚し、ケンジントン公園近くのグロスター通りに新居を構えると、毎日公園を散歩するなかで、魅力的な少年たちと出会います。ジョージ、ジャック、ピーターの三人は若い弁護士アーサー・L・ディヴィズの息子たちでした。その後、さらにマイケルとニコルスが加わります。バリーは、子どもたちとケンジントン公園で遊ぶだけでなく、公園近くに住むディヴィズ家をしげしげと訪れることになります。バリーが最も愛したのは、長男のジョージと、誕生以来成長を見守って来た四男のマイケルでした。

## ディヴィズ家の子どもたちへの献身的な愛情

一九〇二年バリーは、ディヴィズ家の子どもたちとの交流を題材にした小説『小さな白い鳥』を完成させます。さらにそのうちの第六章を独立させ、二年後には『ケンジントン公園のピーター・パン』を出版します。それらを元にした戯曲「ピーター・パン」は、一九〇四年、ロンドンのデューク・オブ・ヨーク劇場で開演し、連日盛況のうちにマチネーを含めて一四五回の上演を続け、以来一九一五年まで、クリスマスシーズン毎に劇場は満席を続けます。この

右／バリーがファーナムで購入した別荘、ブラック・レイク邸。「ピーター・パン」劇はこの地を舞台に生み出された。中／「ピーター・パン」劇に登場する「人魚の礁湖」や「島流しの岩」は、バリーの別荘地近くのブラック・レイクがモデルである。左／花の咲き乱れるケンジントン公園のサウス・フラワー・ロード。

「ピーター・パン」劇は、この間、物語『ピーター・パンとウェンディ』として一九一一年に出版されます。

一九〇六年、アーサー・L・ディヴィズは、あごのガンと診断されます。バリーは治療費用の全てを負担して妻シルヴィアを援助しますが、一年間の闘病の後、アーサーは息を引きとりました。さらに、今度はシルヴィアがガンに侵され寝たきりとなり、バリーは、理想の家庭と憧れていたディヴィズ一家の崩壊に直面して打ちひしがれます。同時にこの頃、妻メアリの不貞関係がもつれ、間もなく二人の離婚が成立します。独り身となったバリーは、シルヴィアと五人の子どもたちの生活を支えることに全力を尽くします。

一九一〇年、シルヴィアの死亡と共に、バリーは、残された五人の子どもたちの後見人となりました。かくしてバリーのファンタジーは、大人になったピーター・パンが五人の孤児たちを引き受けるという姿をとって、不気味な現実となったのです。

その後も不幸が次々と彼を襲い、実人生は悲劇と幻滅へと変貌していきます。一九一四年、第一次大戦が勃発すると、長男ジョージが兵役を志願し、翌年フランドルで戦死します。さらに一九二一年、バリーが最も愛し、才能にも恵まれたマイケルが、オクスフォード大学の同級生バックストンと共に、テムズ川のサンド・プールで溺死します。二人は抱き合ったまま死亡し、自殺と推定されました。

マイケルの死は、バリーを根底から打ちのめしました。彼は家に閉じこもるようになり、誰とも会わない日が続きました。「世界が変わってしまった。マイケルは私の世界だったから」。晩年、バリーは独りでロンドンに住み、人柄も変わり果てて陰気になりました。それでも最晩年には、少しづつ孤独から抜け出して友人ともつき合うようになったそうです。一九三七年、バリーは七七歳で亡くなりました。遺体は生まれ故郷キリミュアの墓地に埋葬されています。

## ピーター・パンの誕生したケンジントン公園

バリーがディヴィズ家の子どもたちと出会ったケンジントン公園には、素敵

ロンドンのデューク・オブ・ヨーク劇場。1904年開演の「ピーター・パン」劇は、連日満員の大当たりとなった。

ピーター・パンとウェンディ
J・M・バリー（著）
石井桃子（訳）／福音館書店

ある夜、ウェンディの部屋に突然現れた大人になりたがらない永遠の少年、ピーター・パン。ウェンディときょうだいたちは、妖精ティンカー・ベルの魔法によって、ネバーランドに旅立つ。

なピーター・パンの銅像が立っています。この銅像は、公園にやって来る子どもたちを驚かせるために、バリーがひそかに計画し、一九一二年四月三〇日の夜半この地に据えつけられたものです。また、バリーが『ケンジントン公園のピーター・パン』で描いたピーターの島ネバーランドは、この公園のサーペンタイン池にある「小鳥たちの島」がモデルになっています。

ラッセル・スクウェアにあるグレート・オーモンド・ストリート病院は、ロンドン随一の子ども病院ですが、かつてバリーは「ピーター・パン」に関する一切の著作権をこの病院に贈与し、その権利は今日も引き継がれているそうです。

バリーは一九〇一年、ロンドンから六〇キロ離れたファーナムに別荘「ブラック・レイク荘」を購入しました。そして近くの農家を借りて、ディヴィズ家を招待し、五人の子どもたちと一夏、裏山や近くの湖でインディアンごっこや海賊ごっこにうち興じました。一九〇四年に始まる「ピーター・パン」劇での海賊たちとインディアンの壮絶な戦いの場面は、ここの松林での遊びから着想され、また、舞台「人魚の池」や「置き去りの岩」は、実在のブラック・レイクをモデルにして生まれました。

晩年のバリーを悲嘆のどん底に陥れた、最愛のマイケルが溺死したのは、オクスフォード郊外のサンド・プールと呼ばれたダムでした。そこには、マイケルを含む五人のオクスフォードの学生たちの、この地での水死を悼んで石碑が建てられています。

# 『たのしい川べ』

ケネス・グレーアム

## 銀行家だった著者の心身を癒やした川のせせらぎ

『ふしぎの国のアリス』や『ピーターラビット』と並んで英国児童文学史上不朽の名作と称えられる『たのしい川べ』の作者ケネス・グレーアムは、幼い時に愛する母を失い、父に見捨てられ、また祖母には厄介者扱いされるという冷たい境遇の中で育ちました。そうした彼の孤独な心を癒し、生涯忘れられない思い出を育んでくれたのは、祖母の邸宅、ザ・マウントのほど近くを流れるテムズ川の美しい自然でした。

グレーアムは長じてイングランド銀行に勤務しますが、それも孤児に大学教育など必要ないという叔父の独断によるもので、グレーアムが長年抱き続けたオクスフォード大学への憧れは、これで無残にも断ち切られたのでした。しかし、当時のイングランド銀行の勤務時間はわりとルーズだったことから、彼は余暇を活用して、密かに文学の研究に精進します。その一方、本業についても

上／クッカム村よりテムズ川をさかのぼる途中、浅瀬で水浴びをする牛の一群と出会う。
左／テムズ川の流れは穏やかで土手もないため、二階建ての家の階下を艇庫にしたり、川岸に直にボートをつないだりできる。

フォーイの岸辺から対岸のポールルアン町を望む。

精励した結果、グレーアムは三九歳の若さで頭取につぐセクレタリーの地位に昇進しました。

同時にこの頃グレーアムは、長年培った文芸修行が実を結び、子ども時代をテーマとした『黄金時代』（一八九五年）『夢見る日々』（一八九八年）を相ついで刊行することで、文壇でも押しも押されもせぬ地位を獲得します。ただしグレーアムは、銀行の職務と私生活を厳密に区別していましたから、長い間イングランド銀行では彼の作家としての名声に気づく者はおりませんでした。一八九九年、疲労がたたって病気となったグレーアムは、コーンウォールの南海岸、フォーイで療養生活を送ります。大西洋に流れ込むフォーイ川の美しい風景は、テムズ川と並んでグレアムの心を和ませ、のちに『たのしい川べ』の中に海ねずみの故郷として取り入れられます。

## 息子アラステアに語って聞かせた物語

グレーアムがフォーイに滞在中、彼の本の愛読者で、ロンドンに住むエルスペス・トムソンと恋に落ち、同地のセント・フィンバラス教会で結婚します。しかし、女性に対しロマンチックな幻想を抱き、生身の人間と近しい関係を築くことの苦手なグレーアムにとって、この結婚はたちまち破綻をきたします。翌一九〇〇年の息子アラステアの誕生は、二人がよりを戻すきっかけになったのですが、結果的にはその亀裂はさらに深刻なものとなってしまいます。息子

たのしい川べ
ケネス・グレーアム（著）
石井桃子（訳）／岩波少年文庫

英国のおだやかで美しい田園風景のなかで、ネズミやモグラ、ヒキガエルなどの仲間たちが繰り広げる冒険ファンタジー。『クマのプーさん』と同じE・H・シェパードによる挿絵も人気を博した。

アラステアは未熟児で病弱であっただけでなく、右目は先天的白内障で視力がなく、左目は強度の斜視でした。それでもグレーアム夫妻が子どもの障害をありのまま受け入れることができたなら、幸福な家庭生活の妨げにはならなかったのですが、実際には、アラステアは両親の果たせなかった夢や野心を背負わされることになってしまいます。「マウス」という愛称で呼ばれたアラステアは、頑固な驕慢さと身体が自分の思うようにならぬ苛立ちから、ひどく怒りっぽい性格となります。

この頃からグレーアムは、アラステアを寝かしつけるために「モグラとキリンと川ねずみのお話」を聞かせてやるようになりました。一九〇七年、グレアム夫妻が息子を家庭教師と一緒に夏の休暇旅行に送り出そうとすると、アラステアはお話の続きが聞けないと腹を立てます。グレーアムは続きを手紙で送ることを約束し、ここに『たのしい川べ』の最初の連載が実現します。後にグレアムが、改めて出版を目的として執筆に取りかかると、息子に聞かせるための冒険のお話は、グレアム自身の欲求に根ざした、より深みのある物語に作り替えられてゆきます。

一九三二年、グレーアムは、テムズ川畔の町パングボーンの終の住処チャーチ・コティジで七三歳で亡くなり、裏のセント・ジェームズ教会に埋葬されますが、後にオクスフォードのセント・クロス教会のホリウェル墓地に移されます。その墓には、オクスフォード大学に在学中、鉄道事故（実際には事故を装った自殺）で亡くなった息子アラステアと一緒に埋葬されています。

# 『妖精ディックのたたかい』

キャサリン・M・ブリッグズ

## 時が止まったかのようなコッツウォルドの村

オクスフォードの西に広がるコッツウォルド地方は、英国でもとくに美しい農村地帯といわれています。ここには古来、伝説、フォークロア、妖精物語を数多く生んだ歴史的に伝統ある地域として知られています。またこの地域の建物は黄色味を帯びたはちみつ色のライムストーンでできているところから、落ち着いた田園ムードが醸し出されています。

この地方では、一四、一五世紀以来、牧羊業が盛んであり、そこから羊毛商や毛織物工場主が簇生し、目ざましい活躍をします。彼らは、国王と結託して利益独占を図ろうとする特権的大商人層に対抗して、一七世紀にはオリバー・クロムウェルを盟主として清教徒（ピューリタン）革命を起こし、遂には国王チャールズ1世を断頭台に送り込みます。『妖精ディックのたたかい』は、そうした動乱の歴史とからめて、農村部の家つき妖精の活躍に焦点をあてた児童文学作品の傑作です。

スウィンブルックの教会には、フェティプレイス家の横たわる領主のモニュメントが６体飾られている。チューダー朝とスチュアート朝のものが３体ずつで、これはスチュアート朝のもの。

# 妖精ディックのたたかい

キャサリン・M・ブリッグズ

妖精ディックが住んでいたウィドフォード屋敷。清教徒革命の動乱期、新しい家主となったウィディスンの周囲ではさまざまな異変が生ずるが、ディックは家を守る守護妖精の役割を忠実に果たす。

テイントン村の教会墓地には、朽ち果てた古い墓がひっそり佇んでいる。その陰から、今にも尖った耳の妖精ロブがひょっこり顔を出しそうだ。

ウィドフォード屋敷を守る家つき妖精ディックは、カルヴァー家の没落により、新興地主ウィディスンを新たな家主に迎えます。ディックはウディスン家を隣村スウィンブルックの領主フェティプレイス家との仲を取りもったり、ウディスン家の次女マーサが魔女ダーク・マザーに誘拐されるとこれを助け出したりして、家を守る守護妖精の役割を忠実に果たします。最後にはカルヴァー家の埋蔵宝物を同家の親戚に当たるアン・セッカーのための持参金に仕立てることで、彼女とウディスン家の息子ジョエルとの結婚を実現させせて、めでたく

上／ロールライト巨石塚には兵隊塚と呼ばれるストーン・サークルや巨大なキング・ストーンが残る。下／スウィンブルック近くを流れるウィンドラッシュ川。ディックはここで道路から川べりまで馬車を突き落とす。

Hobberdy Dick
Katharine M. Briggs

妖精ディックのたたかい

キャサリン・M・ブリッグズ（著）
山内玲子（訳）／岩波書店

コッツウォルドの古いお屋敷に住むディックは、何百年も住んでいるウィドフォード屋敷の「家つき妖精」。屋敷の住人たちを守るため、ディックは姿を隠してひそかに活躍する。

幕引きとなります。

このコッツウォルドの農村地域の妖精物語をまるで本当に起きた出来事のように生き生きと描いた『妖精ディックのたたかい』の作者、キャサリン・ブリッグズは、オクスフォード大学で長年英国における妖精神話の研究に取り組み、数々の研究書を著した当代随一の妖精学者でした。同時に彼女は、若い頃から演劇指導やストーリーテリングなどを通じて子どもたちと深い係わり合いを持ち、その成果は、『妖精ディックのたたかい』と『魔女とふたりのケイト』という素晴らしい児童文学作品に結実しました。

もう二〇年も前、秋日和の一日、私はスウィンブルック村を起点に妖精ディック探索の旅に出かけました。村の聖メアリ教会内には、フェティプレイス家の横たわる六体の領主のモニュメントが飾られています。一キロ近くフットパスを進みますと、ローマ人の幽霊が現れたという小さな聖オズワルド教会も残っています。この近くに座っていた老婦人に「妖精ディックの家」の所在を尋ねたところ、こともなげにその方向を指さして教えてくれました。ディックの家、ウディスン家は三〇〇年昔と変わらぬ姿のまま残っていました。村内には、マーサがダーク・マザーに押し込められたシンプトン塚、しばり首の丘、ウィドレー雑木林なども存在しています。こうして私は、どこかでひょっくり妖精ディックに出会えはせぬかと心を高ぶらせながら、コッツウォルドの村々を歩き回ったのでした。

Column 1

## うつくしきマリー・マロン

『トムは真夜中の庭で』の一三章には「うつくしきマリー・マロン」の歌の一節が登場します。この歌は英語圏の民衆のあいだで広く歌い継がれたアイルランドの民謡です。ダブリンで魚の行商をしていたマリー・マロンが熱病にかかり、若くして死んだあと、幽霊となって手押し車をおしながら魚介類を売り歩くといった内容のものです。

この歌の最後のリフレインを口ずさむハティに向かって、トムはがまんできずに「いったい、どんなもんだろう。――死んで、幽霊になるって気もち?」と聞いてしまいます。これが口火となって、二人は互いに相手を幽霊だと決め付けて喧嘩となります。

ところで「トムの家」を訪問してから二〇年経って、アイルランドを旅した私は、ダブリンの目抜きにあるグラフトン通りで、偶然にもマリー・マロンの銅像に出会いました。この銅像は一九八八年、ダブリン建都千周年を記念して新しく建てられたものです。十七世紀の衣装をつけた、あでやかなマリー・マロンが手押し車をおしながら魚介類を売り歩く姿は、ダブリンを訪れる観光客の新しい風物詩として人気を呼んでいるようです。現在では一六九九年六月一三日をマリーが亡くなった日と推定し、六月一三日を「マリー・マロンの日」と決めて記念しています。

「マリー・マロン」は今日、アイルランドやイギリスで知らぬ人がないくらいポピュラーな歌となっています。ラグビーのアイルランド代表をはじめ、ダブリンを本拠地とするさまざまなスポーツチームの応援歌として知られるほか、アイルランド出身のシンニード・オコナーなど多くの歌手がこの曲を歌っていますし、映画『時計じかけのオレンジ』にもこの歌が登場します。

# 北欧を舞台にした作品

# 『ニルスのふしぎな旅』

## セルマ・ラーゲルレーヴ

### 女性としてはじめてのノーベル文学賞受賞

セルマ・ラーゲルレーヴは一八五八年、スウェーデン中南部ヴェルムランド地方のモールバッカの旧家の娘として生まれました。一八八〇年代に入ると生家は傾き、それを契機に彼女は自活の道を歩みます。二三歳のとき女子高等師範学校に進み、卒業後は中部の都市ランスクローナで女学校の教師を勤めました。幼い頃から文学を好み、ひそかに作家をめざしていたラーゲルレーヴは、雑誌の懸賞コンクールで一等賞に入選し、一八九一年に『イエスタ・ベルリング物語』を出版します。当時北欧では、ストリンドベリやイプセンなど自然主義文学が全盛を極めていましたが、ロマン主義的傾向を持つ彼女の作品は新しい潮流として人気を呼ぶことになります。その後、文学に専念するため教職を退き、『地主の家の物語』『イエルサレム』など注目すべき作品をつぎつぎと

ニルスの生まれ故郷のスコーネ地方は、地味が肥えているところからスウェーデンで最も豊かな穀倉地帯として知られる。

シリアン湖のほとりでは長い桟橋が湾内に突き出ていて、祭りの夜にはその先端で人々が合唱する。

発表していきます。そして一九〇九年には、ラーゲルレーヴはスウェーデン人として、また女性としてはじめてのノーベル文学賞を受賞することになるのです。

## 地理の教材だった『ニルスのふしぎな旅』

話は少しさかのぼりますが、ラーゲルレーヴはある小学校の校長から、九歳から十一歳の子どもが自然や地理を学ぶための読本教材の執筆を依頼されます。スウェーデンでは一八四二年に初等教育が義務化され、二〇世紀に入ると、現場の教師たちは新しい教育のあり方を模索していました。こうした教育の近代化の流れに共鳴していたラーゲルレーヴは執筆を承諾します。

お話を楽しみながら自国の地理を子どもが学べるように、ラーゲルレーヴは小人になったニルスという少年をガチョウに乗せてスウェーデンを一周させる物語を仕立てます。これが一九〇六年に『ニルスのふしぎな旅』の第一巻として発表され、続いて翌年には第二巻が発刊されます。このお話は、どうやらアンデルセンのお話にヒントを得て生み出されたようです。

ラーゲルレーヴが子どもたちにスウェーデンの自然と地理をどのように学ばせたか、その一端を紹介してみることにしましょう。スウェーデンは、国土の六〇パーセントが森林に覆われています。ただ大地のかなりの部分が農業に適さないやせた土地であるため、イギリスのように森林を伐採して農地や牧草地

クマネズミとドブネズミの争いの舞台となったグリミンゲ城。スコーネ地方の東南部にある堅固な石造りの砦である。

に変えることはできません。この森林が本格的に切り開かれたのは、近代に入って鉱山開発が始まってからです。当時、石炭は硫黄分を含んでいるため、鉄を溶かす燃料に使用できず、代わりに木材から作られた木炭が使用されていました。加えて鉱山周辺では、工場や労働者用の住宅建設に木材の需要も高まってきます。鉱山開発によって、スウェーデンの森は急速に変容していったのです。

ところが、森林の生育期間は温暖な地域では六〇年程度であるのに対し、北極圏に近いスウェーデンでは約二〇〇年、実に三倍以上の期間がかかります。ですから鉱山開発で森林を伐採していくと、たちまち森林は消滅してしまうわ

上／ルンド大聖堂のあるルンドは「西のロンドン、東のルンド」と称され、北欧の文化や宗教の中心地だった。下／西ヴェンメンヘーイ村にあった「ニルスの家」と呼ばれた古い茅葺きの農家。火事で消失して現存しない。

広場を歩いていたガン。

けです。幸か不幸か、スウェーデンの鉱床は貧弱だったので、それほど鉱山開発は進まず、森林は失われずに済みました。

さらに二〇世紀に入り、西ヨーロッパの木材不足により、スウェーデンの製材業が伸び、これまで手つかずだった北部のノルトランドまで本格的に森林が開発されます。ここに至って、〝森の畑〟を手入れして森の産物である木材を切り出すという仕組み、つまり森もまた持続的生産の場であることが認識されてきます。

ニルスの住んでいる南部のスコーネ地方は地味が肥沃であるため農業で支えられています。しかし中部や北部は土地がやせていて農業で暮らしが立てられないことから、鉱山開発やサイクルの違った林業生産によって生活が成り立っています。ラーゲルレーヴは地域の多様性にじっくりと目配りしながら、スウェーデンの子どもたちに納得のいく形で自然や地理を学ばせているのです。

## 環境問題にも目を向けた先見性

近代化が進み、鉱工業が発達するにつれて、現代社会で大きなテーマとなっている自然破壊、環境汚染の問題が起こってきます。この問題について、当時のラーゲルレーヴはどう考えていたのでしょうか。彼女が『ニルスのふしぎな旅』を著したのは今から百年以上前の近代産業がスタートした時代でしたから、環境問題はそれほど深刻化していませんでした。

赤く塗られた木造の提督教会。その入口には教会の堂守ローセンブムの木像が立っていて、カールXI世の銅像に追いかけられたニルスを助けてくれる。

カールスクローナ広場のフレデリック教会堂
前に立つカールXI世の銅像。

上／ニルスたちが立ち寄ったゴットランド島のヴィスビィは気候が温暖で、街中が花で彩られている。下/この町は海底に沈んだ伝説の街ヴィネタとも重ねて語られる。中世の教会群は大半は廃墟と化し、セント・ニコライ堂もその一つ。

ニルスのふしぎな旅

セルマ・ラーゲルレーヴ（著）
菱木晃子（訳）／福音館書店

ふとしたいたずらによってこびとにされてしまったニルス少年は、ガチョウのモルテンたちと一緒に空の上をスウェーデン縦断の旅をすることになる。スウェーデン児童文学の古典。

二十八章「製鉄所」では、人間社会優先の開発か、それとも環境保全かの問題については明確に結論づけられてはいません。近代化の入口にいたラーゲルレーヴにこの結論を求めるのは少々無理があるでしょう。ただし、クマを通して人間の利益優先の社会風潮に警鐘を鳴らしている点は注目してよいと思います。

物語の最後でニルスがガンの群れと別れる日、隊長アッカはニルスにつぎのように語っています。「いいかね。おまえがわたしたちといっしょにいて学んだことがあるとすれば、人間はこの世に人間だけで暮らしているのではないということだろう。人間は広い土地を持っているのだから自然の岩礁、浅瀬の湖、沼、湿地、未開の山、人里離れた森を、わたしたちのような貧しい生き物が安心して暮らせるように、少しくらい残してくれてもよいと思うのだ。（以下略）」

『ニルスのふしぎな旅』に書かれたテーマが、この文章に集約されているのではないでしょうか。製鉄所とクマ、「平和の森」の蛾の大量発生、トーケルン湖の干拓計画など、それぞれ独立した物語ですが、それらはいずれもアッカの言葉につながっていると思います。それは人間優先社会に対する警鐘です。動物と人間との共生、いいかえれば自然と人間の共生が、『ニルスのふしぎな旅』に込められた最大のテーマなのです。

# アストリッド・リンドグレーンの世界

アストリッド・リンドグレーン

## 九〇冊以上の多彩な作品を生んだ北欧を代表する作家

アストリッド・リンドグレーンは、一九〇七年、スウェーデンの中部の町ヴィンメルビイの郊外にあるネース農場で生まれました。一九四五年に発表した『長くつ下のピッピ』をはじめ、あふれるような想像力で次々と作品を生み出したリンドグレーンは、一九九〇年代に入って白内障のため筆を折るまで、生涯で九〇冊以上の本を出版しました。リンドグレーンの作品を読んで驚くことは、これが一人の作家が書いたものかと思うほど作風が多岐にわたっていることです。その作品群を系統別に整理しますと、およそ四つのグループに分類できるでしょう。

第一の系統は『長くつ下のピッピ』や『やねの上のカールソン』のような、

上／ヴィンメルビィにあるリンドグレーンの生家、ネース農場。リンドグレーンは屋根裏部屋から屋根に登って遊んだという。下右／両親や兄グンナルの墓に囲まれて眠るリンドグレーン。下左／『はるかな国の兄弟』のモデル、ファーレン兄弟の墓。

アストリッド・リンドグレーン・ワールドでは、「ピッピ」のアトラクションが開催されていた。

エネルギッシュで生き生きとした子どもの生活を描いたものです。「ピッピ」は、リンドグレーンの小さな娘カーリンが「パッパ・ロングベーン＝あしながおじさん」を「ピッピ・ロングストルンプ＝長くつ下のピッピ」と言い換えて、この主人公を題材にお話をせがんだことに始まります。ピッピの生き方が奔放かつ型破りなことから、当初はどの出版社からも発行を断られましたが、ひとたび出版されるや、子どもたちに熱狂的に支持され、『ピッピ船にのる』『ピッピ南の島へ』といったシリーズ作品が次々と刊行されました。

第二の系統は「やかまし村」や「おもしろ荘」のシリーズです。これらのお話では奇想天外な事件は何ひとつ起こりませんが、子どもの日常生活、とくに兄弟や友だちとのやりとりが、実に鮮やかに描き出されています。今日ではますます稀になっている子ども時代というものをよみがえらせ、讃える作品といってもよいでしょう。かつて、幼い読者がリンドグレーンに「やかまし村って本当にあるのですか。だってもしあるのなら、ウィーンにはもう居たくないのです」と手紙に書いてきたこともあるそうです。

第三の系統は『さすらいの孤児ラスムス』や『名探偵カッレくん』シリーズなどの少年少女の友情と冒険の物語です。これらの作品では、現代社会で起こるさまざまな事件を、冒険心あふれる子どもたちが解決していく過程が生き生きと描かれています。

かつての牧師館の傍らに立つニレの老樹。幹にはうろがあって、「ピッピ」では「レモネードの木」として登場するほか、「やかまし村」でもブッセがニワトリの卵を抱かせる「ふくろうの木」として取り入れた。

上／初夏のヴィンメルビィ郊外では、白いライラックの花が満開だった。下／ヴァクスホルム島で出会った、『わたしたちの島で』に出てくるような可愛らしい木造の民家。

ストックホルム港近くの放水塔。先端には海神ネプチューンの像がついている。

## 憂いと悲しみをたたえた作品

第四の系統は『ミオよ　わたしのミオ』『はるかな国の兄弟』などです。これらの作品は、第三までの系統の作品とだいぶ趣を異にしています。『はるかな国の兄弟』の訳者、大塚勇三は、あとがきで次のように語っています。「リンドグレーンには、たいそう美しくて空想にあふれ、時には憂いをたたえて、心をゆするようなお話や物語があります。作者は、何年かのあいだをおきながらそうした作品を発表してきました。（後略）」

『親指こぞうニルス・カールソン』所収の「うすあかりの国」（『夕あかりの国』と題して絵本にもなっている）では、寝たきりの少年が、不思議な小さな紳士に案内されて、何でもできる世界に飛んでいきます。また『ミオよ　わたしのミオ』では、孤児として育った少年が、父を慕ってはるかな国に飛び、王子として悪と戦うさまを、美しく幻想的に物語っています。作者は、つらいさだめをもった小さな主人公たちを温かく見守り、その喜びや悲しみ、そして勇気をくっきりと描き出しているのです。

『はるかな国の兄弟』では、リンドグレーンは子どもたちに、たじろぐことなく正面から死の世界を語っています。たぶん彼女は老境に入り、死が近づくにつれて、子どもたちにその問題を伝えずにはいられなかったのではないかと思います。リンドグレーンはジョナサン・スコットとの『はるかな国の兄弟』についての対談の中で、こんなふうに語っています。「この物語が、死ぬのを

ストックホルムは無数の島々に囲まれていて、
水上バスを使って都心に通勤する人も多い。

こわがっている子どもたちの慰めになってくれればいいと思いました。こういう子どもは大勢いますから」（『子どもの本の八人』ジョナサン・スコット著、鈴木晶訳　晶文社）

## ピッピの「ごたごた荘」のモデルとなった家

リンドグレーンの世界に魅せられた私は、彼女の生まれ故郷ヴィンメルビィを訪ねました。町の広場に面するスタッツホテルに宿を定めて、早速近くの墓地を訪れると、そこには一八六〇年に死んだ幼いファーレン兄弟の墓がありました。リンドグレーンは、この二人の死をモデルにして『はるかな国の兄弟』を創作したのです。ついで白樺の木とライラックの花香る道を歩いて、ネース農場に着きました。リンゴ畑に囲まれた木造の赤い家はリンドグレーンの生誕地で、兄グンナルと楽しく過ごした思い出深い家です。その隣にあるクリーム色のもっと大きな家は、一三歳の時に引っ越した、ピッピの「ごたごた荘」のモデルとなった建物で、ピッピの白い馬は玄関口のヴェランダで飼われていました。現在はリンドグレーン記念館となっていますが、かつての牧師館に通じる道路際には、作中で「レモネードのなる木」と呼ばれる、大きなうろのあるニレの老樹が残っています。

ヴィンメルビィから一五キロ離れたスヴェーズトルプ村には、「やかまし村」があります。ここは一九八六年の映画『やかまし村の子どもたち』のロケ

はるかな国の兄弟

アストリッド・リンドグレーン（著）
大塚勇三（訳）／岩波少年文庫

勇敢な兄ヨナタンと、彼を慕う病弱な弟のカール。はるかな国ナンギヤラへやってきた二人は人々を苦しめる悪の騎士を倒すために戦いを繰り広げる。幼い二人の兄弟愛が胸を打つ、美しくも悲しいファンタジー。

地に使われて以来、観光客が集まるようになりました。いかにも北欧らしい可愛らしい木造の家が、北、中、南屋敷と三軒くっつくように並んで建っています。中屋敷はリンドグレーンの父親が小さい頃に住んでいた家で、当時の思い出を子どもたちに語って聞かせたことが、「やかまし村」物語を生みだすきっかけとなりました。中屋敷の裏手には、お話に出てくる納屋があります。中二階に上がってみると、床には干し草が山と積まれていて、そこへポンと飛び降りることも出来ます。干し草の匂いを嗅いでいると、「やかまし村」の子どもたちがここで夏にお泊りしている様子が目に浮かんでくるようでした。

リンドグレーンは人生の後半をヴァーサ公園近くのアパートで暮らした。現在は一階が海鮮レストランになっている。

# アンデルセン童話の地へ

## ハンス・クリスチャン・アンデルセン

### 幼少期を過ごしたオーデンセの街

ハンス・クリスチャン・アンデルセンは、一八〇五年、デンマーク第二の都市オーデンセの貧しい家庭に生まれました。彼が誕生する二か月前、両親はどうにか教会で結婚式を挙げることができたものの、住む家もなく、アンデルセンが生み落とされたのは祖父の家でした。彼は少年時代、貧民学校（その建物は現在も保存されています）で学びましたが、勉強に身を入れることはなく、このままでは両親同様、貧困に打ちひしがれたまま人生を終わることになるのは明らかでした。

オーデンセには、アンデルセンの少年時代の生活を彷彿させる二百年前の建物の数々がよく保存されています。それらを辿りつつ、彼の人生のその後の道行きを見ていきましょう。

上／カラフルな建物が立ち並ぶ港町ニーハウンは、コペンハーゲン随一の観光スポット。
左／アンデルセンがオーデンセで少年時代を過ごした家（三軒長屋の右端）。

学生時代にアンデルセンが暮らしたコペンハーゲンの下宿。この部屋で『絵のない絵本』を創作したといわれている。

アンデルセンが二歳の時から住んだ三軒長屋は、現在、記念館として保存されています。二部屋きりの狭い間取りで、そこにはアンデルセンがベッド代わりに使った木製のベンチがありました。童話『雪の女王』はこの家から霊感を受けて生まれたといわれます。

その近くにある聖クヌート教会は、両親の結婚場所でもあり、母親の葬儀が行われた所でもあります。アンデルセンは十四歳の時、ここで堅信礼を受けました。母親から贈られた新調のブーツに有頂天になった彼は、お説教など耳に入らず、ずっと靴ばかり見つめていました。この体験はのちに童話『赤い靴』を生み出すことになります。

また、アンデルセン公園のそばを流れるオーデンセ川の川岸に残る洗濯場跡は、昔アンデルセンの母親が洗濯女として働いた場所です。川に浸す足の冷たさをまぎらわすために彼女はジンを飲み続け、それがもとでアル中となり命を落とします。その折に収容された修道院附属の施療病院跡も残されていますが、ここには母親ばかりでなく、父親、祖父いずれもここに収容されて亡くなっています。若きアンデルセンもオーデンセに残っていたならば、同じ運命をたどることになったかも知れません。

しかし、アンデルセンはそうした逆境をはね返すエネルギーもまた、この地で蓄えることができました。その源泉となったのが読書体験であり、役者になるという夢でした。アンデルセンが洗礼式を受けたハンス教会の牧師はその二か月後に亡くなり、残された未亡人はアンデルセンの家の近くに移ってきます。

アンデルセン公園に近い、壮麗なゴシック様式の聖クヌート教会。アンデルセンはここで堅信礼を受けた。

上／アンデルセン公園の前を流れるオーデンセ川のほとりには、アンデルセンの母親が洗濯女として働いた洗濯場跡が残っている。下／コペンハーゲン王立劇場。劇場支配人だったヨナス・コリンは、アンデルセンの作家修行を支援したパトロン的存在だった。

オーデンセの街角にはアンデルセン童話を題材とした銅像があちこちにある。その代表が「裸の王様」。

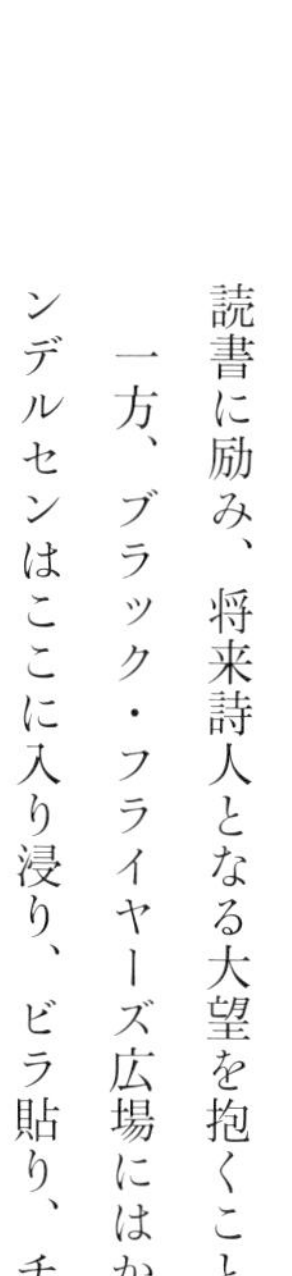

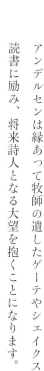

アンデルセンは縁あって牧師の遺したゲーテやシェイクスピアの本を借り受け読書に励み、将来詩人となる大望を抱くことになります。

一方、ブラック・フライヤーズ広場にはかつて常設の劇場がありました。アンデルセンはここに入り浸り、ビラ貼り、チケット売りの手伝いに精を出します。こうした体験から、彼は役者で身を立てる望みを持ちはじめ、十四歳の時、母親の反対を押し切ってコペンハーゲンへ旅立ちます。

この他、オーデンセには世界に誇るアンデルセン記念館をはじめ、街の各所にアンデルセンの童話にちなんだ銅像がいくつも建っており、彼の作品に興味をもつ観光客を充分満足させるものとなっています。

## 才能を花開かせたコペンハーゲン

それでは次に、アンデルセンが新しい運命を切り開くべく旅立った、首都コペンハーゲンを訪ねることにしましょう。

裸一貫、小遣い銭程度の持ち金で降り立ったコペンハーゲンは、アンデルセンにとって苛酷な世界でした。役者になる望みはたちまち消え失せ、持ち金も使い果たして故郷へ敗退寸前だったところ、暖かい援助の手を差しのべてくれた何人ものパトロンが現れました。ことに王室劇場の支配人で宮中顧問官でもあったヨナス・コリンは彼の文才を認め、国王による奨学金貸与の途を開いてくれます。アンデルセンは苦労しながらラテン語学校、コペンハーゲン大学と

上／ユトランド・アルス島のグローステン城。アンデルセンはここで「マッチ売りの少女」を書いた。右／リーベ町の夜回り。アンデルセン童話には夜回りがよく出てくる。下／オーデンセ近くのイーエスコウ城は、湖の中に建てられた優美な城として名高い。

アンデルセン童話集（1）
ハンス・クリスチャン・アンデルセン（著）
大畑末吉（訳）／岩波少年文庫

世界中で親しまれているアンデルセン童話。「おやゆび姫」「みにくいアヒルの子「皇帝の新しい着物」「小クラウスと大クラウス」など11編を収める。

勉学に励み、いよいよ詩人・作家の途を歩み始めます。

コペンハーゲンの中心には、ヨナス・コリンが支配人だった古い王立劇場もありますし、その近くのマガザンデパートの屋根裏には、かつて大学生だったアンデルセンが下宿とした小部屋が残されています。『絵のない絵本』は、この部屋の西の窓に写る月影を眺めながら創作されたといわれています。ここはアンデルセン生誕二百年祭の折に公開されましたが、現在は閉鎖されています。

コペンハーゲンにはオーデンセを遙かに超える、アンデルセンに関わる名所旧跡が存在しています。その代表がコペンハーゲンの浜辺に建てられた「人魚姫」の銅像でしょう。その他、近衛兵の護衛するアマリエンボー宮殿は、「しっかり者の錫の兵隊」「エンドウ豆の上に寝たお姫様」のお話が生まれた地として有名です。また、アンデルセンは生涯、各地の貴族の館を頼って旅に出かけ、「旅は自分にとって人生の学校だ。旅において私はいろいろ学んだ」と語っています。彼は交通の不便な時代にもかかわらず、外国に二九回も出かけました。

こうしてアンデルセン童話の舞台を訪ね歩いてみますと、彼の創作した童話が幼い子どもたちに語ったものというよりも、自身の人生体験の喜び、悲しみその一切を投げ入れて創り出されていることに気づかされるのです。

Column 2

# iPadの効用

これまで私が続けてきた児童文学の舞台探しの旅は、非常に根気のいる試みでした。インターネットなどない時代、目的とする場所が何処にあるのかの手がかりもなく、またそこに到達する道のりや利用すべき交通手段を調べるにも随分と労力を要しました。私の旅の大半を占めた英国の児童文学作品の場合、入手できる限りの文献と「オーデナンス・サーヴェイ」（英国陸地測量部）の二万五千分の一地図や五万分の一地図を使って見当をつけていくのですが、時には現地に出向いてヒヤリングによって目的地に達することも珍しくありませんでした。

しかし、二〇一〇年頃からこの作業にiPadを活用するようになって、私の調査は格別の進歩を遂げることになりました。

サトクリフの『辺境のオオカミ』に出てくるブレメニウム砦やハビタンクム砦など、素人の私には聞いたこともない名前でした。しかし、iPadを開くと、インターネット上にはニューカースル大学考古学調査班の発掘調査報告書が公開されていて、砦跡の実態が明らかにされているだけでなく、近くで発掘された記念碑銘、墓碑銘までが英訳されて掲載されているのです。発掘された遺物は、その後大学付属のハンコック博物館を訪ねて実物を確かめました。

『王のしるし』の探索の際も、スコットランドの西の果てに残るダナッド砦など実在するのかどうかも確かめようがなかったのですが、iPadを存分に活用して調査を行い、現地を訪ねることができました。そして五、六世紀頃にダルリアッド族が王位継承に用いたといわれる、砦頂上の大岩に刻まれた足跡を、この目で見ることができたのです（その時の写真が岩波少年文庫の表紙に採用されたものです）。そればかりかダナッド砦が辺鄙な地にあるにもかかわらず、格安のホテルの予約や乗合バスの時刻表の確認といったこともiPad上で行い、つつがなく調査旅行を終えられました。便利な時代になったものです。

# フランス・スイスを舞台にした作品

# 『星の王子さま』

サン＝テグジュペリ

## 空に魅せられた人生

一九〇〇年五月、サン＝テグジュペリはフランス第二の都市リヨンで、貴族の長男として生まれました。サン＝テクス（サン・テグジュペリの愛称）が一二歳の時、近くのアンベリュー飛行場で飛行機に乗せてもらいます。これは彼の生涯を決定づける、運命的な出来事となりました。一九二一年、ストラスブール飛行第二連隊に整備士として入隊、この時ラバトで民間飛行免許を取得し、操縦士の道が開けます。

その後一九二〇年後半から一〇年近く、サン＝テクスはラテコエール社、アエロポスタル社などの南方郵便会社の業務に携わることになります。長距離飛行の操縦士としてアフリカや南米の空を飛び回った彼は、幾度となく機体事故で不時着や怪我を繰り返しました。こうした体験から『南方郵便機』（一九二

上／サン・テグジュペリの大叔母であるド・トリコー伯爵夫人の城館、サン=モーリス・ド・レマンス。彼にとって第二の故郷といわれる。下／サン=テクス少年が初めて飛行機に乗って空を飛んだアンベリュー飛行場は、今は軍用基地となっている。

2000年、サン＝テグジュペリ生誕百年を記念して、リヨンのベルクール広場には彼と星の王子さまの記念塔が建てられた。

九年）『夜間飛行』（一九三一年）『人間の大地』（一九三九年）などの作品が生まれ、サン＝テクスは、行動派作家として幅広い読者層から迎えられます。

一九三一年、ブエノスアイレスに滞在中知り合ったコンスエロ・スンシンと結婚、第二次大戦が始まると飛行部隊に召集されますが、翌年フランスはドイツに降伏します。サン＝テクスは動員解除後ニューヨークに亡命し、のちに米軍指揮下の飛行隊に加わってドイツ軍との戦いに参加します。

## 哲学的な意味の込められた寓話

ニューヨーク滞在中、サン＝テクスは、アメリカの出版社の求めに応じて『星の王子さま』を執筆し、この本は出版されるや世界の人々から熱狂的に迎えられました。『星の王子さま』は、平易に書かれていることから児童書のカテゴリーに収められていますが、その内容を子どもたちが真に理解することは、かなり困難なことかもしれません。作品を通じてサン＝テクスが最も伝えたかったのは「バラの花のエピソード」であり、それはバラの花に譬えて、妻コンスエロに自分の決意を伝えた遺書のようなものであったともいわれています。

王子との別れに際して、キツネは次のような言葉を残します。「あんたが、あんたのバラの花をとても大切に思っているのはね、そのバラの花のために、ひまつぶししたからだよ」「あんたは、このことを忘れちゃいけない。めんどうみたあいてには、いつまでも責任があるんだ。まもらなけりゃならないんだ

サン=テクスとコンスエロが結婚式を挙げたボーメット・ビーチのアゲー城は、ドイツ空軍の爆撃で廃墟となった。

よ。バラの花との約束をね」

この言葉の通り、王子は責任を果たすために死を冒して自分の星へ帰ります。私たちがこの本を読んで深く感動するのは、王子が自分の安楽でなく、責任を選んだからです。他方、この王子の選択は、自分の言葉を忠実に守ろうとするサン＝テクス自身を強く拘束することになります。彼のその後の行動は、王子と極めてよく似た過程を辿ることになるのです。

『星の王子さま』が完成に近づいた一九四二年一一月、米英軍が北アフリカ上陸を敢行すると、サン＝テクスは妻コンスエロや親しい友が住むニューヨークに別れを告げて、アルジェー戦線に参加します。戦争が終わる直前の一九四四年七月三一日、コルシカ島のバスティア空港から九回目の偵察に出動したサン＝テクスは、そのまま帰還することなく永遠の世界に旅立ったのでした。

## テグジュペリの人生を決定づけた飛行場

以前、大学の共同研究でリヨンに滞在する機会があったところから、サン＝テクスの生涯を辿る旅を思い立ちました。リヨン市の中心には、広大なベルクール広場があります。サン＝テクスは、その傍らにあるアパルトマンの四階で誕生しました。二〇〇〇年には、彼の生誕百周年を祝って、広場には星の王子さまの傍らに座る彼の記念塔が建てられました。

リヨンから北東に四十キロほど行った所には、彼の大叔母ド・トリコー伯爵

上／南方郵便飛行の拠点、トゥールーズのキャピトル広場には飛行士たちの定宿「グラン・バルコン・ホテル」があった。下／南方飛行の折にサン=テクスが泊まった部屋は、「グラン・バルコン」の5階32号室。（いずれも現存しない）

夫人の城館の建つ、サン＝モーリス・ド・レマンス村があります。父親の死後、一家はしばらくここに寄宿し、サン＝テクスにとって生涯の故郷と言うべき土地となりました。そこから数キロ離れたアンベリューの町には飛行場があります。冒頭で述べたように、サン＝テクスは十二歳の時、自転車でここに通いつめ、試作機の試乗に励むパイロットに懇願して、飛行機に乗せてもらいました。

星の王子さま
サン＝テグジュペリ（著）
内藤濯（訳）／岩波少年文庫

砂漠に飛行機で不時着した飛行士は、小さな男の子と出会う。それは、小さな自分の星を後にして、地球にたどり着いた王子さまだった…。1943年の刊行以来、世界中で愛され続けている名作。

この体験で、彼のその後の進むべき道が決定されたのです。しかしこの時のパイロットは、二年後に試作機の墜落で死亡していますから、彼の未来は決して安易なものではなかったといえるでしょう。この飛行場にはサン＝テクスの〝空の洗礼〟を記念するプレートが残っているそうですが、現在、ここは空軍基地に生まれ変わっていて入場はできません。

別の機会には、航空産業の都市トゥールーズを訪ねました。ここは、一九二〇年からラテコエール社、のちにはアエロポスタル社がトゥールーズ＝カサブランカ間、カサブランカ＝ダカール間等の航空郵便を開始した航空産業のパイオニア都市でもあります。サン＝テクスが南方郵便輸送に飛び立ったモントードランの滑走路の傍らには、彼らの指導者ディディエ・ドーラの記念碑が建っていました。

トゥールーズのキャピトル広場にある南方郵便飛行士たちの定宿「グラン・バルコン・ホテル」には、サン＝テクスがいつも泊まっていた五階三二号室もそのままの形で残っていました。一階フロアの壁面には、サン＝テクスたちの写真やラテコエール社、アエロポスタル社のかつてのポスターがいっぱい貼られており、さながら博物館の様相を呈していました。ただし、最近このホテルはリニューアルされて、こうした部屋や写真などは一切残っておりません。

# 『ハイジ』

ヨハンナ・シュピーリ

## アルプスの自然を背景にした不朽の名作

　両親と死に別れたハイジは、山奥にひとりで暮らしているアルムじいさんに預けられます。昔は遊び人で身を持ち崩し、イタリアで傭兵をしていたこともあるアルムじいさんは、今ではすっかり人間嫌いになって、山の中で山羊を飼って暮らしていました。そんな偏屈で変わり者のアルムじいさんも、天真爛漫なハイジと暮らすうちに少しずつ心がほどけてきます。

　ところが、遠く離れたフランクフルトに住むお金持ちの娘の遊び相手に、ハイジを連れていく話が持ち込まれます。この娘クララは病弱で足が悪く、歩くことができません。フランクフルトで暮らすことになった山育ちのハイジは、きびしく冷酷なロッテンマイアさんにいじめられます。大都会の生活に馴染めないままやがてホームシックとなり、夢遊病者となって夜中にさ迷い歩くまで

上／『ハイジ』の舞台となったマイエンフェルト。駅前の通りにはレストランが立ち並び、彼方にハイジアルプの山を望む。
下／オクセンベルクの山小屋には、夏の間はアルムじいさんそっくりの老人が住み込み、食事や飲み物を提供する。

ハイジ

ヨハンナ・シュピリ

ハイジが過ごしたアルムの山小屋のモデルとなった山小屋。オクセンベルクの山中に、モミの林に囲まれてポツンと建っている。

右／冬の間ハイジとアルムじいさんが山からおりて過ごした家のモデルとされる、オーベルロッフェルの「ハイジの家」。左／チューリッヒの中央墓地には、夫と息子の墓に囲まれてシュピーリが眠っている。

になると、ハイジは医師の勧めでアルプスの山へ戻されます。

再びアルムじいさんと暮らすようになったハイジの周囲には、多くの変化が起こります。フランクフルトで本を読むことを学んだハイジは、目の見えないペーターのおばあさんに本を読んでやり、慰めを与えます。また、アルムじいさんに信仰心を呼び起こし、二人は麓の教会に出かけて村人を驚かせます。翌年には、クララがおばあさんと一緒にハイジのもとを訪れます。すっかり元気になったクララは、ハイジとアルムじいさんの励ましによってひとりで歩くことができるようになり、突然訪れた父ゼーゼマン氏を驚かせたのでした。

## 両親からの強い影響

『ハイジ』の作者ヨハンナ・シュピーリは、一八二七年、チューリヒ湖の南岸の山村ヒルツェルに生まれました。生家は遠くチューリヒ湖を望む丘の上に建てられた「ドクトルハウス」と呼ばれた白い家で、今もヒルツェル村のシンボル的存在となっています。

シュピーリの父、ヨハン・ホイサーは医学を学び、若い頃にこの無医村にやってきて開業します。彼は誠実に患者の診療に当たり、村人からは敬愛されていました。一八二一年、ホイサーは牧師の娘マルガレータ（通称メタ）を妻に迎えます。外交的で精力的に活動する父と、内向的で詩に慰めを見出す母（メタは閨秀詩人として優れた宗教詩を残している）との正反対の結びつきは、シ

ユピーリの性格形成に好ましい作用を及ぼしました。彼女の作品に出てくる人物の穏やかでやさしく、そして芯の強い性格は、父母の両面を受け継いだものといえるでしょう。シュピーリは、特に母メタから生涯強い影響を受け、この母を「十字架をになう人」として回想しています。

シュピーリは二五歳のとき、六歳年上の弁護士ベルンハルト・シュピーリと結婚し、チューリヒに住むことになります。夫は当時、チューリヒ市の官房長という要職についていました。多忙な夫の傍らにあって、彼女は都会暮らしの侘しさに悩み、重症のホームシックに罹ってしまいます。心の癒しを求めた彼女は、マイエンフェルトの隣村イエニンスに住む女学校時代の友人のもとにしばらく身を寄せ、そこでオーバーロッフエル（ハイジの故郷）に続く、自然あふれる小道を何度となく歩きました。この散策から『ハイジ』の構想が生まれたところから、この小道は「シュピーリの小道」と名付けられて、人々に親しまれています。

シュピーリの作家としての出発はかなり遅く、四四歳のとき、匿名で発表した『フローニーの墓の上の一葉』が最初の作品でした。彼女の代表作は言うまでもなく『ハイジ』（上巻一八八〇年、下巻一八八一年）です。作家として売り込もうという野心を全くもっておらず、デビューから一〇年近く匿名を続けていたシュピーリですが、五三歳になってようやく本名での出版を決意します。のちに著名となったこの女性作家に対して、自伝的作品を書かせようとした出版者もいましたが、シュピーリは最後まで強く拒絶しました。

一九〇一年、シュピーリは死を目前にして原稿やメモなどを全て焼却してしまいます。手紙もひとりに宛てられたものという考えで、同様に処分されてしまいました。終わったものは終わったものとして、きっぱり終止符を打つというのが、シュピーリの潔い態度でした。

シュピーリの生まれ故郷ヒェルツェル村には、かつて彼女も学んだ小学校がシュピーリ博物館として公開されている。

Heidis
Johanna Spyri

ハイジ

ヨハンナ・シュピーリ（著）
矢川澄子（訳）／福音館書店

両親を亡くした少女ハイジは、アルプスの山の中で人間嫌いのアルムじいさんと暮らすことになる。大自然の中で楽しい日々を送るが、突然フランクフルトのお屋敷に送られることになり、運命が一転する。

## キリスト教信仰と自然賛歌

シュピーリは、ルソーやペスタロッチの思想の流れをくむ、個人の自発性を重んじる立場に立つ作家でした。敬虔なキリスト教徒（プロテスタント）でしたが、信仰を人に押しつけることはせず、そのことが作品にもはっきり反映されています。シュピーリの物語では、美しい自然の魅力とともに、自然の人間に及ぼす健康な働きが強調されています。都会はしばしば人間の健全な心や身体をゆがめ、蝕むのに対して、自然はあるべき姿の人間を育てます。自然への回帰は神への依存であり、シュピーリの自然への思いは神への思いに通じるものといえるでしょう。

しかし自然を尊ぶからといって、人間は原始の状態にとどまっている訳にはいきません。ハイジも字を習い、学校に通うことになります。しかし、それは自然を損なうことではありません。シュピーリが絶えず作品の中で強調しているのは、ひとりひとりの子どもの本来の素質（nature）、つまり子どもの自然を伸ばしてやりたいという願いです。彼女の思想は現代にも通じる斬新な考え方だったといえるでしょう。

シュピーリは一九〇一年、七四歳で亡くなり、チューリヒの中央墓地に葬られました。墓碑には「主よ、今わたしは何を望みましょう。わたしの望みはあなたにあります」（旧約聖書ヨハネ詩篇）という言葉が捧げられています。

＊本稿にあたっては、『シュピーリの生涯』（高橋健二著、弥生書房、一九七二年）を参考にさせていただきました。

解説　幸せなご縁

公益財団法人 東京子ども図書館名誉理事長　松岡享子

池田正孝先生に児童文学への興味の扉を開いたのは、本文にもありますように、小学校三年生のときに読んだ『ドリトル先生航海記』（当時の題は『ドリトル先生船の旅』）でした。当時人気のあった講談社の雑誌「少年倶楽部」に連載されていたもので、ただでさえ読み物に飢えていた池田少年にとって、それは「こんなに想像力をはばたかせてくれた読物は後にも先にもないくらい素晴らしいもの」でした。

大学生になってドリトル先生に再会した先生は、少年の日に同じ本を読みながら思い浮かべたイメージが、あまりにもありありと甦るのに驚き、以来児童文学に強く惹かれるようになった、と述懐しておられます。このドリトル先生とのご縁が、その後、池田先生をして、本業とは別に、児童文学を深く読みこんで独自の作品研究をつづけること、作品の舞台になった場所を訪れること、その旅の記録を写真に収めることに、多くの時間とエネルギーをつぎ込ませたといえないでしょうか。

池田少年が「少年倶楽部」を読んだのは、同じ町内で、ある方がお店の一角を開放して設けていた、現在でいう子ども文庫に当たる私設図書室でした。その思い出がおありだったのでしょう。先生は一九七〇年ごろから、お住まいだった千葉県船橋市の団地内のご自宅で、近所の子どもたちのために家庭文庫をはじめられます。それが発展して団地自治会の集会所に移り、県立図書館の団体貸出を利用するようになり、当時県立図書館の児童室担当であった荒井督子と知り合います。その荒井が東京子ども図書館の一員だったことから、先生と東京子ども図書館とのご縁がつながります。

先生には、一九九三年から二〇一〇年まで、東京子ども図書館の理事、評議員をお務めいただきました。一九九四年には、設立二〇周年記念募金活動の一環として、「スライドで見るイギリス児童文学の旅」というレクチャーを五回連続で行ってくださいました。その第一回目、最前列で聞いておられた石井桃子さんが、帰りがけに池田先生に「今度イギリスにいらっしゃるときは、わたしも一緒に連れていってください」と、おっしゃったとか。すでにご自分でもイギリスを旅して歩き、その記録を『児童文学の旅』として公刊しておられた石井先生も、スライドを見て、再び旅心を強く刺激されたのでしょう。

この催しが好評だったのを受けて、一九九七年、東京子ども図書館が初めて自分たちの建物をもつことができ、会場探しの心配がなくなったのを機に、「池田正孝氏スライド&トークの会」がはじまりました。これは館の定例行事となって、今日まで二十年余り、ほぼ年二、三回のペースでつづいています。

また、この会に参加した方から、自分たちのグループにも来てほしいとの依頼が寄せられ、先生は地方でも同じような会をなさるようになりました。その結果〝池田ファン〟が増え、小さな旅行会社の肝いりで、先生をツアーリーダーとする「児童文学の旅」も何度か実現しました。作品に親しんだ参加者たちには、忘れられない、たのしくも有意義な旅だったことでしょう。

「スライド&トークの会」は、参加者が五十名足らず（なかにはご常連も）のこじんまりした集まりで、先生はその都度一作品につき、約二百二十枚の写真を用意なさいます。最初のころは、文字通りスライド（一枚ずつプラスティックのホルダーに入れたポジフィルム）の映写でした。ドーナツ型のカートリッジにスライドを順番通りにセットして映写機に装着、先生の合図で係が一枚一枚カタン、カタンと送ります。ときどき上下、左右が逆になっていたりするのがご愛敬でした。ここ何年かの〝技術革命〟でこの方式は姿を消し、今ではスライドの日々はなつかしい思い出になってしまいました。

映写に先だって、講義があります。先生は、毎回、詳細なレジュメを用意してくださいました。それにそってお話がすすむのですが、入念に準備された内容といい、折り目正しいお話ぶりといい、大学での講義もかくやと思わせられました。先生が作品を深く読みこんでいらっしゃること、周辺の資料を幅広く調べておられることには、いつも感心させられました。

本書には、イギリスを中心に、二十六のテーマが取り上げられていますが、現在、先生のお手元には、四十六（うち三十五はイギリス）のテーマによる映像のセットが整っているそうです。枚数にして一万枚を超えるこれらの写真を、いつ、どこで撮影したか、ほとんど記憶なさっているそうで、それればかりか、旅に出かけない今も、グーグルマップで夜遅くまでイギリスのあちこちを〝バーチャル調査〟なさっているようで、児童文学の背景探索に注ぐ先生の情熱は並みでないことがわかります。

本書は、その先生の長年にわたる活動のエッセンスです。取り上げた作品・作家は、世界の児童文学の極め付き中の極め付き、選ばれた写真も一万枚からの選りすぐり（選ぶのにどれほど苦労なさったでしょう！）、とくに大半を占めるイギリスの田園風景は、眺めるだけで心がのびやかに広がっていくようで、写真集としてもたのしめる出来映えです。

文章も、これまたくり返し行われた講義のエッセンスです。随所に見られる、作品に対する先生の的を射た批評に目を開かれる読者も多いことでしょうが、わたしがとくに心ひかれたのは、先生が旅の行く先々で、思いがけない出会いに助けられたエピソードです。作家フィリッパ・ピアスや、ルーシー・ボストンとの出会い、『時の旅人』の秘密の通路に案内されたこと、『ツバメ号とアマゾン号』の「火星の通信」の実演を見せてもらったこと、などなど。どれも先生のお人柄と、純な探究心が引き寄せた幸運でしょうが、わたしには、それは先生の熱心さに対する天のご褒美という気がしてなりません。

人と本、人と人とが思いを超えてつながって、先生の世界児童文学の旅の結晶が、ここに美しい本となりました。この本に導かれて、これらの作品に手を伸ばす読者が大勢現れることを願いますが、この本を手元において、作品の再読、再再読をたのしむ読者が多いだろうことも疑いません。幸せなご縁にただ感謝あるのみです。

# あとがき

本書をお読みになった皆さんのご感想はいかがでしょうか。物語の背後に確かな舞台やモデルが実在していて、それを探し求めて旅をする。こうした興味に惹かれて、私はこれまで四〇年近く、英国を中心に各国を巡り歩いてまいりました。本を読む楽しみにもう一つ別の楽しみが加わる――この醍醐味については、本書の中では特に『運命の騎士』『時の旅人』あるいは『トムは真夜中の庭で』などで詳細に取りあげてまいりました。

この児童文学の新しい楽しみ方がどこの国の作品でも等しく体験できるのかといえば、そうでもなく、どうやら英国への偏在が目立っているようです。英国の作家が書く物語には、その背後にリアルな舞台や場所が存在し、彼らのそうしたものへの執着ぶりがきわだっています。そしてその点こそが、読者が作品をイメージする上でとても効果をあげているものと思われます。英国が伝統的に児童文学作品の宝庫であり続けられるのは、まさにこのしっかりした土台の存在あればこそと言っても過言ではないでしょう。以上は、これまで長い間私が考えてきた結論とも言うべきものです。

最後になりましたが、私の拙いこの作品に対し推薦のお言葉を賜りました、東京子ども図書館名誉理事長松岡享子先生、岩波書店編集部石橋聖名様に対し心より御礼申し上げます。また本書出版の仲介の労をお引き受け下さったばかりか、数々のご援助を頂きました、東京子ども図書館理事長張替惠子氏を始め職員の皆さまに厚く御礼申し上げます。

この本の編集の担当を引き受けて下さったエクスナレッジ社の関根千秋さんは、私の原稿に逐一眼を通されて詳細にコメントして下さいました。この分野の専門家でない私にとって、関根さんの熱意あるご協力を抜きにして本書の完成はあり得なかったことと考えています。改めてそのご厚意に深く感謝する次第です。また、私の年来の仲間吉田美知子さんには、文章の入力で終始ご協力を賜りました。厚く御礼申し上げます。

池田正孝

池田正孝　いけだまさよし

一九三二年栃木県生まれ。中央大学名誉教授、専門は中小企業論。東京子ども図書館元評議員、理事。児童文学に情熱をそそぎ、物語の舞台を訪ねゆかりの風物を撮影している。二〇一一年日英協会賞受賞。

# 世界の児童文学をめぐる旅

二〇二〇年十月十九日　初版第一刷発行
二〇二一年二月八日　第三刷発行

著者　池田正孝
発行者　澤井聖一
発行所　株式会社エクスナレッジ
〒一〇六-〇〇三二　東京都港区六本木七-二-二六
https://www.xknowledge.co.jp/

問い合わせ先　編集　電話　〇三-三四〇三-五八九八
ファクス　〇三-三四〇三-〇五八二
info@xknowledge.co.jp
販売　電話　〇三-三四〇三-一三二一
ファクス　〇三-三四〇三-一八二九